KB104099

# 오늘도 참
# 나스러웠다

나를 사랑한
그 순간이
내 인생을 바꿨다

# 오늘도 참 나스러웠다

단순한 일상 속

특별한 당신을 발견하는

정체성 처방 에세이

다행, 장한샘,
강필중, 마재형아
지음

리더인
컴퍼니

# 차례

## 작가소개

**다행**

'다양한 일을 행하는 직장인'이라는 의미를 가진 필명이다. 그런 뜻에 맞게 다양한 일을 하며 자신의 행복을 이루려고 노력하는 작가다. 많은 사람들이 현실에 치여 자신이 하고 싶은 일이나 행복할 수 있는 일을 포기하면서 살고 있지만 본인의 SNS를 통해 직접 실현하고 보여주며 그들에게 용기를 주기 위해 노력하고 있다.

블로그 blog.naver.com/growing_nnz_

브런치 brunch.co.kr/@dahang

01

작가 다행

# 직장 생활이 원래 이렇게 힘든가요?

차례

EP 01

## 직장 생활이 원래 이렇게 힘든가요?

# 프롤로그

나는 병원 연구원으로 근무 중인 n연차 직장인이다. 병원에서 일을 하던, 회사에서 일을 하던, 공무원으로 일을 하던 많은 직장인들은 눈을 뜨면 출근하기 싫다는 생각과 함께 일어나는 경우가 다반사일 것이다. 왜냐면 난 오늘 아침에도 그랬기 때문이다. 나와 다른 직장을 다니는 친구에게 온 메시지도 같은 내용이었다. 하지만 우리는 피곤한 몸을 이끌고 스트레스의 소굴로 걸어 들어간다. 언제 터질지 모르는 화를 뒤로한 채 긴장감 휩싸여 각자의 일을 한다. 조용히 하루가 지나가기를 바라며 근무시간을 버텨낸다.

근무 시간 중 회사에서 잘못한 일이 생기거나 상사 혹은 동료로 인한 스트레스가 생기면 그것을 어떻게 해야 할지 고민이 들기 시작한다. 친구와 술을 마실지, 집에 가서 바로 뻗어버릴지, 좋아하는 프로그램을 즐기면서 잊어버릴지. 퇴근 시간까지 본인이 원하는 방식의 스트레스 해소법을 찾느라 일이 하기 싫어진다.

나는 스트레스를 받으면 술에 의존하는 경향이 있었다. 술을 마시는 그 시간 동안 스트레스가 잠시나마 해소되는 기분이 들었다. 술을 과하게 먹으면 가끔 기억을 잃기도 해서 스트레스에서 벗어났다는 착각이 들기도 했다. 그렇게 기분이 좋거나 나쁘거나 상관없이 언제든 술과 함께했다. 하지만 그렇게 지속한 삶에 점점 회의감이 들기 시작했다. 단지 그 순간만 잊어버리는 것이었지 하나도 나에게 도움이 되는 것은 없었다. 반복되는 음주로 건강을 해치고 정신이 해쳐지면서 변화되어야겠다는 생각이 들었다. 조금 더 현명하게 회사 생활의 스트레스를 이겨내고 싶었다. 조금 더 나를 아끼고 사랑하는 삶으로 바꾸고 싶었다.

그래서 소울메이트였던 술과 점점 거리를 두기 시작했다. 그는 어떻게 생각할지 모르겠지만 나는 너무 아쉽고 속상했다. 하지만 후회하지 않는다. 지금 변화하고 있는 삶에 만족하고 있기 때문이다. 현재는 가끔씩 안부를 물을 정도로만 지내고 있다.

직장인들이 가진 고민 중 회사 생활의 스트레스는 높은 순위 안에 들어가는 고민 중 하나일 것이다. 일을 다니기 시작하면서 내 모든 스트레스의 근원은 회사로부터 시작이었다. 그러나 그것을 지혜롭게 해결하지 못한다면 어떤 방식으로든 다시 본인에게 독이 되어 돌아온다. 그래서 이 책을 통해 회사 생활에서 고통받고 힘들어하는 사람들에게 지혜로운 방법을 제시해 보려고 한다.

이 책을 읽으며 이게 본인과 맞지 않는 방법이라고 생각하는 사람도 있을 수 있다. 하지만 곧이곧대로 따라 하는 것이 아닌 본인의 입맛에 맞춰 바꾸길 추천한다. 자신의 상황에 맞춰 적용해 보고 좋은 방법을 찾아가길 바라며 적는 책이기 때문이다. 제시한 방법들을 자신의 삶에 맞게 맞춰 바꿔본다면 분명 당신의 삶에 변화가 있을 것이다. 스스로는 느끼지 못하더라도 주변에서 그 변화를 알아차릴 것이다. 우리는 그렇게 변화하면서 성장할 것이다. 나를 조금 더 사랑하고 아끼며 변화를 시도해 보자. 지금보다는 분명 다른 삶을 살 수 있게 될 것이다.

## 누가 해 좀 하루만 늦게 뜨게 도와주세요.

깜깜한 방 안에 시끄러운 소리가 울려 퍼진다. 침대 위에 두 눈을 꼭 감은 채 웅크리고 있던 한 회사원은 순식간에 미간에 주름이 잡힌다. 소리의 출처를 없애기 위해 침대 이곳저곳을 뒤적거리기 시작했다.

"아… 어딨는 거야…"

알람과의 사투에서 밀리고 있는 회사원이 목이 잠긴 채 외마디의 비명을 내뱉으며 구시렁거리기 시작한다. 머리맡에서 저 멀리 떨어진 알람이란 적군은 기세등등하게 소리를 내고 있다. 멈출 생각이라곤 절대 없어 보인다.

하지만 이 회사원은 알람뿐만 아니라 잠과의 사투도 벌

이고 있다. 누가 이기는 게임 일지 점점 흥미진진해진다. 팔 휘적거리기를 몇 차례 반복하니 오른손에 무언가 잡혔다. 그렇게 회사원은 알람 적군을 1차로 물리쳤다.

"10분은 더 자도 되겠…지…?......."

미리 설정한 알람과의 1차전을 마무리한 뒤 곧 벌어질 2차전을 대비하며 회사원은 다시 잠이 들었다. 하지만 이것은 비극의 서막이었다. 회사원은 알람 적군이 깨우지도 않았는데 갑자기 눈을 번쩍 떴다. 방금 전까지 버려버리고 싶던 그 휴대폰으로 시간을 확인했다. 당연한 결말이지만 서둘러 준비하지 않으면 지각을 할 시간이 되어버렸다.

화장은 사치다. 아무도 쳐다보지 않을 것이고 관심도 없을 것이라며 선블록만 빠르게 발라본다. 늦을 것을 알고 미리 준비해 놓은 모나미 룩을 챙겨 입고 후다닥 지하철역으로 향한다. 나와 비슷한 모나미 룩 군단이 어깨를 질질 끌고 같은 곳을 향해 걸어가고 있다. 멀리서 보면 빛을 향해 저벅저벅 걸어가는 좀비의 모습과 다를 것이 없다는 생각이 든다.

혼잡한 출근 시간이 아니더라도 새벽의 지하철 역시 나름의 경쟁이 치열하다. 자리가 여유로운 날도 있지만 어느 날은 심하게 눈치게임을 해야 하는 날도 있다. 빠른 환승을 위해 플랫폼 맨 앞을 선점했다. 지하철이 들어오는 동안

'제발 앉을 자리 하나만 주세요.'라고 속으로 주문을 외워 본다.

스크린 도어가 열림과 동시에 눈에 띄는 자리로 서둘러 발걸음을 옮겼다. 잠에서 깨어난 지 얼마 되지 않은 채 지하철을 탔지만 의자에 앉으면 다시 꿈나라에 들어갈 수 있다. 몇 년째 반복하는 일이기 때문에 실패할 확률은 거의 0%다.

그렇게 잠든 채로 첫 번째 환승역에 다다른다. 안내방송이 나오면 잠들어 본 적 없는 사람처럼 이미 내릴 준비를 마치고 문이 열리길 기다리고 있다. 1분 1초로 허투루 쓸 수 없다. 그럼 환승역으로 들어오는 열차를 놓치게 될 것이다.

누구보다 빠르게 에스컬레이터를 내려가 환승역 플랫폼 앞에 도착했다. 들어오는 지하철의 빈자리를 스캔하지만 이때는 실패 확률이 높아진다. 이미 쟁쟁한 경쟁자들이 넘쳐나기 때문이다. 운이 좋게 자리를 선점하면 다시 스르르 눈이 감긴다. 이 정도면 신생아가 아닐까라는 생각을 하지만 그것은 별로 중요하지 않다. 10분이라도 출근 전에 더 자야 가뜩이나 하기 싫은 일을 조금이라도 해낼 수 있을 것 같다.

아침 내내 전쟁을 치르고 나니 어느덧 회사에 도착했다.

출근 내내 말을 할 사람이 없었기 때문에 도착 후 팀원들과 인사하는 것이 그날의 첫마디가 된다. 목이 잔뜩 잠겨 걸걸하게 인사를 한다. 팀원들은 나에게 어디 아픈 거냐며 걱정 어린 눈빛으로 바라본다. 오히려 잘 된 것 같다. 나는 오늘 아픈 사람이라고 주입하며 하루를 시작한다.

이런 생활을 6개월쯤 반복했을 때였다. 출근시간 동안 잠만 자며 보내는 게 아깝다는 생각이 들었다. 그래서 지하철을 타고 가는 사람들을 유심히 살펴보기로 했다. 그 시간에 지하철에 있는 사람들은 보통 같은 사람들인 경우가 많았다. 그렇기 때문에 그들이 보내는 아침 시간을 분석하기 더 좋았다. 휴대폰으로 인터넷 강의를 듣는 사람들, 독서하는 사람들 또는 종이 신문을 읽는 사람 등 각자의 일을 분주히 하고 있었다.

다들 각자의 삶을 열심히 살고 있는데 출근하는 내내 틈만 나면 잠든 내 모습을 돌아보니 창피함이 몰려왔다. 물론 나처럼 잠을 청하는 사람도 간혹 있었다. 하지만 대부분의 사람들이 본인을 위한 시간을 효율적으로 활용하고 있었다. 그 사람들의 아침을 보면서 나를 위한 출근 시간을 어떻게 보내야 할지 곰곰이 생각해 봤다.

나만의 효율을 찾기 위해 영어강의를 결제했다. 회사에서도 영어능력을 필요로 했기 때문에 공부를 해야 했다. 퇴근 후 돌아와서 공부를 하려면 여간 귀찮은 일이 아니었다. 조금만 쉬었다가 하겠다며 항상 다음날을 맞이했다.

그래서 10분만 들으면 강의 하나가 끝나는 프로그램을 선택해 봤다. 환승을 많이 하는 나는 짧게 듣고 끝나는 그 강의가 정말 잘 맞았다. 아침에 많으면 3개까지도 강의를 들으며 출근시간을 보내기 시작했다. 지루하지도 않고 시간이 정말 잘 갔다. 무엇보다 영어 실력이 조금 늘었다는 점이 신기했다. 그렇게 몇 개월을 하고 나니 회사에서는 자연스럽게 영어 잘 하는 애가 되었다. 아침마다 목이 메어 아프냐는 소리를 듣던 내가 어느 순간 '영어 좀 하는 애'로 변한 것이다. 그렇다고 훌륭한 영어실력을 가지게 된 것은 아니다. 하지만 스스로에게 변화를 만들었다는 점은 당당하게 얘기할 수 있다.

아침에 눈뜨는 것조차 싫었고 출근하자마자 업무에 집중하기까지 너무 힘들었었다. 집중력이 떨어지니 당연히 실력도 떨어지는 무능한 회사원이 되어가고 있었다. 그렇게 출근시간이 너무 괴로웠던 회사원은 어느 날 출근길 주변을 돌아봤다. 그들이 무엇을 하는지 관심 있게 보고 자신에게 필요한 것을 적용했다. 조금씩 변화하려는 노력은 어느 순간 작은 싹을 틔웠고 땅 밖으로 나오고 있었다.

그 작은 새싹은 아직도 무럭무럭 자라나고 있다. 그 새싹은 분명 예쁜 꽃을 피우려 열심히 노력하고 있다. 하지만 관심을 주지 않으면 금세 시들어버릴 수 있다. 아직 어린 잎이기 때문에 조금 더 단단한 뿌리를 내릴 때까지 충분한 관심을 주어야 한다. 스스로에게 잘하고 있다는 칭찬을 아끼지 말자. 변화를 위해 시도한 스스로에게 응원의 메시지를 보내자. 그럼 더 단단한 뿌리를 금방 내릴 수 있겠지?

# 회식
# 그만하고 싶어요.

"새로운 막내도 들어왔고 오랜만에 맛있는 거 먹으러 가려고 하는데 다들 어떻게 생각하나?"

"네. 좋아요. 어디로 알아볼까요? 팀장님?"

"선생님들이 좋아하는 걸로 잡으세요. 저는 어디든 좋으니 정하고 알려주세요."

거짓말. 그는 항상 답이 정해져 있다. 좋아하는 곳을 물어보지 않고 예약하면 다음날 우리는 봉변을 당할 것이다. 가고 싶은 목록을 추려 그에게 확인을 받은 다음 회식장소를 예약할 수 있다. 그렇게 정해진 장소는 결국 고깃집. 그냥 고기가 먹고 싶다고 바로 말해줬으면 머리를 꽁꽁 싸매지 않았을 수 있었을 텐데. 그렇게 막내 사원 환영식 겸 친목 도모를 위한 회식의 날이 다가왔다. 다들 가기 전부터 불평불만이 많은 얼굴이다.

"그냥 간단하게 점심 먹지, 왜 회식을 한다는 거야? 집에 일찍 가야 하는 거 알면서."

"그러니까요, 선생님. 어떡해요? 아기는 부모님이 봐주신데요?"

"저는 그래서 1차만 하고 바로 가려고요. 미안해요. 선생님들이 수고 좀 해주세요."

"으…부럽다…저도 집 가고 싶어요."

"다 집 간다고 하면 분명 삐칠 거예요. 대충 먹고 빨리 마무리하고 집 가세요. 다들."

이럴 땐 결혼한 선생님이 너무 부럽다. 빠져나갈 수 있는 이유가 확실하게 있으니 말이다. 갑자기 결혼을 해서 아기를 낳을 순 없으니 당분간은 저 상황을 계속 부러워할 것 같다. 그렇게 각자의 불만을 구시렁거리며 터덜터덜 회식 장소로 향해갔다.

그 와중에 나는 가는 동안 엄청난 고민에 휩싸였다. 팀장님과의 단체 회식엔 항상 안 좋은 기억들이 가득했기 때문이다. 본인은 마시지 않는 술을 팀원에게 강요하는 나쁜 버릇 때문에 항상 다음 날은 숙취가 가득한 하루였다. 술을 좋아하는 나조차도 고개를 내두를 정도로 너무 지독한 버릇이었다.

그래서 오늘은 어떻게 해결해 나가야 할지 가는 내내 생각했다. '아프다고 할까?', '배탈이 나서 못 먹는다고 할까?', '아, 그러기엔 아까 낮에 점심을 많이 먹었는데…' 별의별 핑계를 생각해 내느라 어떻게 회식장소를 가고 있는지 잊을 정도였다.

어느덧 새빨간 간판에 흰색 글자가 적힌 고깃집 앞에 도착했다. 왁자지껄한 소리와 함께 열심히 고기를 굽는 사람들 틈 사이로 덩그러니 단체석이 마련되어 있었다. 하지만 그것은 중요하지 않았다. 오로지 목표는 하나. 그의 근처에 앉지 않으려는 나만의 눈치게임이 시작되었다.

"팀장님, 가운데 앉으시고 막내 선생님이 주인공이니까 그 옆에 앉으시면 되겠네요."

"아이, 나는 가운데 안 앉아도 돼. 선생님들이 앉아."

"그래도 팀장님은 가운데 앉으셔야죠. 막내 쌤 빨리 옆으로 오세요."

"아, 네! 다행 쌤은 어디 앉으세요?"

"저는 저쪽 끝 구석이요. 하하"

악착같이 자리를 사수했다. 무슨 일이 있어도 그와 붙어서는 안 된다. 같이 즐겁게 먹는 것이 아닌 강요에 의해 먹는 술은 독약이다. 당장은 멀리 떨어졌지만 언제 붙게 될지 모르니 안심하긴 이르다. 긴장을 늦추지 않은 채로 혹시 모를 숙취로 고생할 내일의 나를 걱정하며 회식은 그렇게 시작되었다.

불만투성이로 시작된 회식은 술잔이 기울여지며 화색이 도는 듯했다. 언제 가기 싫었냐는 듯이 고기를 먹어 치우고 술도 먹어 치우는 모습이 마치 진공청소기 같았다. 누구는 술독에 빠졌다가 나온 것처럼 얼굴이 새빨게져 있고 누구는 꾸벅꾸벅 자리에서 졸기 시작했다. 술을 못 마시는 팀장님 역시 슬슬 눈이 풀려가는 것 같았지만 여전히 팀원들에게 술을 권하고 있었다.

"아, 팀장님. 저 이거 먹으면 내일 출근 못해요. 진짜…"

"내일은 업무가 적어서 괜찮아. 다른 선생님들이 도와줄 거예요. 마셔, 빨리."

"저 진짜로 못 가요... 팀장님... 내일 가서 정말 일 안 해도 돼요?"

"아, 하지 마. 하지 마. 내일 다행 쌤 일 못하니까 다른 선생님들이 해줘요. 마셔."

그렇게 피하고 피했던 자리에 어느덧 도착해있었다. 내가 사용하던 잔과 그릇은 누가 순간 이동을 시켜놨는지 세팅이 완료되어 있었다. 걸리면 가만두지 않으리라 생각하며 그와의 술자리가 이어졌다. 그렇게 새싹에 물을 주듯 팀장님은 나에게 술을 주고 나는 그 술을 마시며 다짐했다. 내일 출근하면 꼭 일을 안 하고 숙취에 시달려 회사에서 누구보다 아프겠다고.

말은 씨가 된다고 했다. 다음날 나의 다짐은 결국 현실로 이루어졌다. 밑밥을 단단히 깔아 놓은 것이 신의 한 수였다. 너무 많이 마신 술 때문에 방금 회식이 끝난 사람처럼 술 냄새를 풍기며 자리에 엎드려 있었다.

지하철은 어떻게 갈아타고 왔는지 기억도 없을 만큼 술이 깨지 않았다. 속은 당연히 좋지 않았고 몇 시간 동안 화장실을 수백 번 들락날락했다. 팀원들은 걱정 어린 눈으로 날 계속 바라보았다. 팀장님은 죄책감이라곤 1도 없어 보였다. 하지만 일을 못하고 누워있는 나를 보면서 팀원들에게 이렇게 말했다.

"다음번 회식 때는 다행 쌤 술 먹이지 마세요. 술을 너무 못한다. 반차 보내줄 테니까 집에 가라고 해주세요."

아싸. 의도치 않은 반차를 획득하고 회사를 나오자마자 술이 다 깼다. 가는 길에 해장도 하고 화창한 날씨를 즐기며 기분 좋게 퇴근을 할 수 있었다. 사실 난 술을 못 마시지 않는다. 하지만 상대방이 싫어하는 것을 무리하게 요구한 사람에게 그 모습을 똑같이 보여주고 싶었다. 당신이 부린

지나친 고집이 사람을 어떻게 만드는지. 결국 자기가 만든 함정에 자기가 빠져버린 꼴이다.

그렇게 술 찌질이로 팀장님에게 낙인이 찍힌 나는 회식 때마다 술을 먹지 않게 되었다. 그의 배려 덕분에 나는 항상 회식자리에서 행복할 수 있었다. 하지만 난 어제 팀장님을 제외한 팀원들과의 술자리에서 술독에 빠진 사람처럼 술을 마셨다. 너무 즐거운 자리가 아닐 수 없었다.

# 어제 알려줬으니까 잘할 수 있죠?

"선생님, 저 고민이 있는데… 잠시 시간 되시나요?"

막내 선생님의 얼굴이 흙빛이다. 눈망울에는 고민과 슬픔이 가득 서렸다. '집에 무슨 일이 있나?', '남자 친구랑 싸웠나?' 온갖 생각을 하면서 그녀에게 다가갔다. 의자에 앉아있는 그녀의 어깨는 축 늘어져 바닥에 닿아 있었다. 누군가에게 기운을 다 빼앗긴 사람처럼 앉아 있는 그녀의 옆으로 다가갔다.

"무슨 일 있어요? 왜 그렇게 기운이 없어? 어디 아픈 거예요?"

"그건 아니고요… 제가 이 일을 하고 있는 게 잘하는 건지 모르겠어요. 선생님."

"갑자기 그게 무슨 말이야? 누가 뭐라고 했어?"

"제가 팀에 도움이 되는 사람인가 싶어요… 여기 있어도 되는 사람이 맞는지… 출근해서도 고민해요…"

그녀에 눈에는 그렁그렁 눈물이 맺혔다. 톡 하고 건드리면 어린아이처럼 울어버릴 것 같았다. 입사한지 몇 개월 안 된 신입사원이 일에 대한 회의감을 느끼고 있다는 것에 걱정이 되기 시작했다.

물론 짐작은 갔다. 저 시기에 드는 생각이 무엇인지 나도 경험을 했고 속상했던 기억이 있기 때문이다. 하지만 그 사람만의 생각이 어떤 것인지 들어보고 싶었다. 모든 사람이 같은 고민을 할 수 있지만 각자가 느끼는 감정은 천차만별이라고 생각했기 때문이다. 속상해하는 그녀를 달래며 차근히 질문을 이어갔다.

"일하는 게 힘들어? 아니면 하고 싶지 않아?"

"저는 제 나름대로 잘하고 있다고 생각하는데요… 그게 저만 그렇게 생각하는 것 같아요. 지적을 받고 고쳐도 다시 도돌이표처럼 돌아오는 이 상황이 너무 힘들어요…"

"누가 잔소리를 심하게 했구나. 우선 커피 한잔하고 다시 천천히 얘기해 봐요."

카페에서는 조용한 재즈가 흘러나왔다. 비 오는 날에 들으면 좋을 것 같은 음악이었다. 막내 선생님의 기분을 반영한 음악 같기도 했다. 따뜻한 커피를 마시며 그녀의 감정을 차분히 달랠 수 있도록 시간을 주었다. 시간이 조금 흐르고 그녀의 눈망울에 맺혔던 눈물은 조금씩 사라지기 시작했다.

감정이 너무 올라왔을 땐 약간의 시간을 가졌다가 얘기하는 것을 좋아한다. 너무 격한 마음 상태로 이야기를 하면 감정을 컨트롤하기 힘들어지기 때문이다. 그래서 그녀에게 마음을 가라앉힐 시간을 주었다. 처음 이야기를 할 때 보다 차분해진 그녀는 다시 대화를 이어갔다.

"분명히 그 일을 얼마 전에 배웠는데, 어떻게 하루아침에 바로 잘 할 수가 있겠어요?"

"그렇지, 그건 불가능하지."

"근데 왜 저에게 하루 만에 잘하는 걸 요구하시는지 모르겠어요. 안된다는 걸 알면서도 그러시니까… 너무 답답해요…"

"선생님이 그만큼 일을 잘하는데 자기가 기대했던 것에 못 미쳤다고 생각해서 그렇게 얘기한 거라고 생각해요."

"제가 일을 잘한다고 칭찬해 주시는 건 좋지만… 저도 사람이고… 못할 때도 있는데…"

"맞아요. 다 잘할 수 없지. 그래서 나는 그때 아예 못하는 걸 보여줬어."

"네? 그러면 더 혼나는 거 아니에요?"

그녀는 나의 대답에 당황하며 머리 위로 물음표가 백만 개쯤 띄워진 것 같은 표정을 지었다. 도대체 저 사람이 나를 위해서 위로를 하는 것인지 놀려먹으려고 하는 것인지 모르겠다는 생각을 하는 것 같았다. 나의 어처구니없는 말 덕분에 그녀의 눈에선 눈물이 싹 사라졌다.

그녀와 같은 시기를 나도 경험한 적이 있다. 육아휴직을 들어가는 사람과 일을 관두기로 한 사람이 생겨 두 명의 인력이 부족한 상태였다. 경력직이 아닌 신입사원만 뽑는 우리 부서의 특성상 엄청난 인력 리스크가 생긴 것이다.

그때 마침 내가 입사를 하게 되었고 영문도 모르는 채 빠르게 일을 배워 나가기 시작했다. 그들은 매번 일을 알려줄 때마다 버거우면 얘기하라고 했지만 차마 말을 할 수 없었다. 그들에게 실망을 시켜주고 싶지 않은 마음도 있었고 일을 못하는 사람으로 보이기 싫은 내 자존심도 내세워야 했기 때문이었다.

욕심이 과하면 화를 부른다고 했다. 결국 나에게도 한계에 부딪히는 시점이 왔다. 저 일은 정말 하루아침에 해결할 수 없는 스킬이라는 생각을 예전부터 해오고 있었다. 하지만 머지않아 나에게 저 업무를 맡길 것 같은 불길한 예감이 들었고 결국 그렇게 되었다. 아무리 연습을 해도 스킬이 늘지 않았다. 야근을 하면서까지도 노력했지만 이건 내가 못할 일 같았다. 다른 선생님들에게 도움을 청해보고 그들만의 방법도 물어봤지만 나에겐 맞지 않았다.

일을 알려준 선생님이 내가 잘하고 있는지 확인을 하는 날이 다가왔다. 그날도 역시 난 스킬을 습득하지 못한 상태였다. 그래서 못하는 모습을 보여줬다. 그러고 솔직하게 말을 했다. 다른 일은 잘할 수 있지만 이 업무는 배우는 데 조금 시간이 걸릴 것 같다고, 시간적 여유를 주시면 완벽하게 만들어오겠다고. 그분도 알고 계셨다. 이 일은 시간이 오래 걸릴 일이라는 것을. 그래서 우리의 거래는 순조롭게 이루어졌고 충분한 시간을 가지니 결국은 내가 잘할 수 있는 일로 만들 수 있었다.

가끔은 정면돌파가 답일 때가 있다. 해결하지 못하면 승부를 봐야 한다. 그게 실패할 확률이 높은 걸 알고 있다고 하더라도 도전해야 한다. 도전하지 않으면 결과를 알 수 없기 때문이다. 그렇게 도전한 나의 성공기를 듣고 막내 선생님도 도전에 나섰다. 골대를 약간 빗겨 맞긴 했지만 그 공은 결국 골 망을 흔들게 되었다.

# 나 아무래도 권태기인 것 같아.

입이 잔뜩 나왔다. 눈썹을 삐쭉거리며 어딘가를 응시하는 눈에서는 레이저가 발사되기 일보 직전이다. 아침부터 어린이집에 가기 싫어하는 다섯 살짜리 어린이처럼 회사에 가기 싫다며 엄마한테 투정을 부렸다.

"오늘 진짜 출근하기 싫다. 어떡하지?"

"뭘 어떡해. 빨리 씻고 준비해. 늦겠다."

엄마는 그런 어른이를 어르고 달래며 회사를 보내기 위해 고군분투했다. 고집이 세지만 현실을 사는 어른이는 그렇게 심통이 난 얼굴로 출근길에 나선다.

'지하철이 왜 이렇게 오지 않을까?', '날씨가 왜 이렇게 추워졌을까?', '회사가 왜 이렇게 멀리 있을까?' 온갖 불평불만을 속으로 늘어놓으며 지하철에 올랐다. 하지만 표정이 너무 안 좋았던 탓인가? 사람들은 이내 흘긋거리며 쳐다보고 눈이 마주치기라도 하면 바로 고개를 획 돌려 피하기까지 했다. 화가 많이 난 어른이는 그런 것 따위는 안중에도 없었다. 방금 눈을 뜨고 출근길에 올랐는데 시간이 빨리 지나 퇴근 시간이었으면 좋겠다는 생각만 가득한 채 미간의 주름이 펴지질 않았다.

회사에 도착하니 적막한 고요함만이 나를 반겼다. 그런 고요함 속에서 마음을 차분히 가라앉히려 노력했다. 이렇게 기분이 나빠서 도저히 일을 잘할 수 없을 것 같았다. 따뜻한 커피를 마시며 심호흡도 크게 해보고 기운을 내서 일할 준비를 해보려고 했다. 그렇게 몇 십분이 지났을까? 밖에서 웅성거리는 소리가 들렸다.

"나 어제 새로 생긴 카페 다녀왔는데 너무 좋았어요. 쌤도 나중에 한 번 가보세요."

"거기가 어디야? 정보 좀 알려줘."

팀원들이 하나 둘 출근하며 어제 있었던 일을 공유하는 중이었다. 팀원 한 명 한 명이 출근을 완료할수록 나는 차분함이 흐트러지고 안색도 안 좋게 변해가고 있었다. 이제는 사람이 싫은 건지 헷갈릴 정도였다. 출근하는 팀원들에게 가벼운 인사만을 건네고 혼자 자리에 앉아 고개를 푹 숙이고 있었다.

'제발 아무도 나에게 말을 걸지 말아 주세요.' 믿지도 않는 신께 간절히 기도를 드렸다. 하지만 신도 내가 믿지 않는다는 걸 알고 계셨는지 바로 민현쌤이 다가와 말을 걸었다. 안색이 좋지 않은 나를 발견한 선생님은 '어디 아픈 건 아니지?'라며 한마디를 던지고 등을 토닥인 뒤 이내 자신의 자리로 돌아갔다.

뭐지? 평소 같으면 이것저것 물어봤을 그였는데 오늘은 유유히 자리에 가서 앉는다고? 혼자 물음표를 가득 안은 채 일을 시작했다. 하지만 기분이 나아질 기미가 보이지 않던 나는 일에 진전이 없었다.

계속 손에 쥐고 있으면 사달이 날 것 같았다. 큰 실수가 생겨 남들에게 피해를 입힐 것 같은 느낌이 들었다. 그래서 나는 컨디션이 안 좋다는 핑계를 대며 다른 선생님께 일을 부탁하고 자리에 앉아 마음을 다스리고 있었다. 아침부터 나를 이상하다고 여긴 민현쌤은 업무가 끝나갈 때쯤 나에게 다가와 말했다.

"저녁 약속 없지? 밥이나 먹으러 가자."

"아, 네. 약속 없어요."

"먹고 싶은 거 정해서 톡으로 알려줘."

갑작스러운 저녁 약속이 생겼지만 점심을 든든하게 먹지 않은 나는 배가 고픈 상황에 오히려 잘 됐다고 생각했다. 기분이 좋던 안 좋던 밥은 먹어야 하니까. 그렇게 메뉴를 고르고 그와 저녁을 먹으러 가는 길에 노을을 지는 하늘을 보니 싱숭생숭했던 마음이 몽글거리기 시작했다. 이상한 기분과 함께 코끝도 찡해지는 묘한 기분. 처음 느껴본 것 같다.

"요즘 힘든 일 있어? 하루 종일 안색이 안 좋던데."

"힘든 일은 아니고 그냥… 일이 하고 싶지 않아요… 재미없어…"

"그럴 줄 알았다. 그 시기가 올 때가 됐지. 그럴 땐 네가 하고 싶은 일을 하나 만들어 두는 게 좋아. 퇴근하면 뭐 하는 거 있어?"

"저요? 그냥 집에 가서 바로 잠들죠. 다음 날 출근해야 하니까요…"

"그렇게 사니까 일이 하기 싫지. 너를 위한 시간도 써야 해. 취미 생활 같은 걸 가져봐. 그래서 나는 퇴근하고 여기 앞에 도림천을 걸어. 스트레스도 풀리고 리프레시도 되거든."

그의 말을 듣고 생각이 많아졌다. 돌이켜보니 나는 단지 일만 다니는 월급쟁이에 불과했었다. 나를 위해 쓰는 시간이 아닌 회사만을 위해 사용했다. 그런 상황에 정작 힘들어하는 내 마음을 돌보지 못한 채 앞만 보고 달렸던 것이다. 그렇게 매일 출근 때문에 피곤하다는 핑계를 대며 지친 상태를 유지했으니 이 상황은 언젠가 일어날 당연한 결과였다.

"네가 자도 자도 피곤하고 우울한 기분이 사라지지 않으면 운동을 해보는 것도 추천해."

"운동… 한 번도 해본 적 없는데… 괜찮을까요?"

"도전해 보는 것도 좋은 방법이지. 해봐야 결과를 아니까. 해봤는데 그게 너한테 맞을 수도 있는 거 아니겠어?"

저녁을 먹으며 그가 나에게 해준 조언은 나의 마음가짐을 뒤엎어 놓는 회사 생활의 복선이 되었다. 그날 이후 내 인생에 처음으로 운동이란 것에 도전해 봤다. 살면서 해본 운동이라곤 숨쉬기 운동뿐이었던 내가 운동을 시작한다고 하니 주변에선 코웃음을 쳤다. 잘 되던 안되던 그렇게 몇 개월간 꾸준히 시도해 봤다. 쉬는 날 하루 종일 자도 풀리지 않던 피로는 신기하게도 운동을 하면서 풀리기 시작했다. 회사에서 받던 스트레스도 땀을 흘리며 잊어버릴 수 있었다.

정신적으로 피폐해졌던 나의 모습은 점점 생기를 되찾고 있었다. 마치 새 삶을 얻은 것처럼 말이다. 단지 플라시보

효과라기엔 내가 변하는 것을 주변에서 모두 느꼈다. 민현 쌤의 조언 덕분에 마음을 다스리는 현명한 회사원이 됨과 동시에 취미 생활 중독자가 된 나는 오늘도 새로운 취미를 물색하고 있다.

# 그래,
# 결심했어.

뙤약볕이 내리쬐던 여름 날. 도로는 더위에 들끓고 나는 녹아내리는 아이스크림처럼 땀을 삘삘 흘리며 퇴근길에 올랐다. 회사랑 집이 조금만 더 가까우면 어땠을까라는 상상을 하며 터덜터덜 지하철역으로 걸어갔다. 빵빵하게 에어컨이 가동된 열차를 탈 기대를 하며 플랫폼 앞에서 휴대폰 검색을 시작했다. 좋은 조건의 구직 공고가 올라오지는 않았는지 한참 들여다보고 있던 그때 한 통의 연락이 왔다.

'다행 쌤, 시간 되면 연락해 줘요.'

새로운 병원으로 이직을 한 선생님이 보낸 문자 메시지였다. 오랜만에 온 연락이라 반갑기도 하면서 무슨 내용일지 너무 궁금한 나머지 바로 전화를 걸었다.

"주연 쌤 잘 지내고 계시죠? 어쩐 일로 연락을 주셨어요?"

"응. 저는 잘 지내죠. 다름이 아니고 우리 회사에서 사람을 뽑는데 쌤 생각이 나서 연락했어."

"거기 충원한지 얼마 안 됐는데 사람을 또 뽑아요?"

"환자가 너무 많이 늘어서 사람이 부족해. 선생님 정도 되는 경력직이면 좋을 것 같은데 주변엔 다 신입뿐이라… 혹시 관심 있거나 추천할 사람 있으면 연락 줘요."

내가 일하고 있는 이 업종은 학연, 지연, 혈연이 지독하게 얽힌 집단 중 하나다. 요즘 세상에 그런 게 있을 수 있냐고 생각할 수 있지만 이곳은 그렇다. 그랬기 때문에 구인한다는 정보를 다른 사람으로부터 들을 수 있고 제안을 받을 수 있었다.

연차가 지나면 지날수록 알던 사람들과 오래 일해서 너무 좋았지만 나도 모르는 결핍이 있는 것 같은 기분이 들었다. 그래서 어느 날부터 이직이라는 키워드에 관심을 가지기 시작했다. 새로운 곳으로 자리를 옮기면 어떤 느낌일까 너무 궁금해지기 시작했다.

다니던 직장은 작은 로컬 병원이었다. 이곳의 장점은 일을 빨리 배울 수 있다는 것이었다. 일을 빠르게 배웠다 보니 내가 가진 연차에 비해 병원 연구원으로서 할 수 있는 모든 일을 다 하는 사람이 되었다. 다른 병원에서는 사람이 떠날까 봐 일을 다 알려주지 않는 경우도 있고 똑같은 일만 반복시켜 다른 업무는 천천히 알려주는 병원들이 있었다. 운이 좋게도 나는 첫 직장을 좋은 곳으로 오게 되어 모든 일을 빠르게 배울 수 있었다.

하지만 병원의 규모가 작다 보니 이곳을 평생직장으로 삼아야겠다는 생각을 계속할 순 없었다. 집과 직장의 거리도 꽤나 멀었다. 출퇴근 시간을 합치면 충청도까지도 갈 수 있는 시간이었다. 단순히 그 문제로만 이직에 대한 생각을 한 것은 아니다. 연구원이라는 직업을 가졌기에 새로운 지식과 스킬을 습득하고 싶은 욕망은 끊을 수가 없었다. 그럼으로써 스스로가 발전할 수 있는 것도 포기할 수 없는 부분이었다.

이 문제를 해결하기 위해선 더 큰 직장으로 옮겨야만 했다. 그러나 이곳을 벗어나서 새로운 곳에 적응해야 하는 불안감, 여기서 같이 동고동락한 나의 팀원들, 익숙하고 편안함을 박차고 나가야 하는 도전 정신 등이 많은 생각을 하게 만들었다. 이런 생각을 하는 와중에 때마침 다른 병원에서 연락이 왔다. 이번이 기회인 것 같은 생각이 듦과 동시에 고민이 되기 시작했다. 그래서 내 직장 소울메이트인 민현쌤에게 슬쩍 도움을 요청했다.

"오늘 저녁에 약속 없으면 저랑 저녁 드시죠. 드릴 말씀이 있습니다."

"뭔데…? 조금 무서운데…?"

"먹고 싶은 거 정해서 톡으로 알려주세요."

어떤 말을 할지 어떻게 말을 해야 하는지 머릿속으로 정리하며 저녁 먹을 장소로 발걸음을 옮겼다. 걷는 건지 기어가는 건지 언제 도착했는지 모를 정도의 집중력을 쏟아부었더니 약속 장소에 도착해있었다. 방금 전까지 같이 일하던 동료에게 회사를 떠날 예정이라고 말하는 그 심정은 마치 남자친구에게 이별을 고하려고 준비하는 것과 같은 느낌이었다.

"민현 쌤, 쌤만 알고 계세요."

"뭔지 대충 알 것 같지만… 비밀로 해줄게. 말해봐."

"저… 이직하려고요… 다른 병원으로…"

"갑자기? 거기가 어딘데? 여기보다 거기가 더 좋은 점이 많아? 확실해?"

나의 충격 발언에 당황한 기색이 역력한 그였다. 하지만 물음표 살인마 같은 민현쌤의 질문 폭주는 오히려 나를 더 당황하게 만들었다. 하지만 정신을 가다듬고 그의 질문을 듣고 하나씩 차분히 답을 했다.

“네, 적어도 제가 알기로는 그래요.”

“그래? 그럼 잘 선택한 거야. 지금 아니면 옮기기도 힘들어. 좋은 연차에 나가야 좋은 대우를 받지.”

내가 고민한 것보다 그의 대답은 긍정적이었다. 심지어 친절하게 상담해 주는 그 때문에 오히려 눈물이 날 것 같았다. 하지만 촌철살인 같은 조언들은 이직에 대한 생각을 다시금 하게 만드는 중요한 조언이었다. 어떤 것을 중요하게 여겨야 하며 본인에게 정말 득이 되는 상황인지, 분위기에 휩쓸려 움직이는 것은 아닌지, 정말 원하는 것이 맞는지 같은 여러 내용을 되짚어보게 만드는 계기가 되었다.

그와 진솔한 대화를 나누고 며칠이 지났다. 스스로를 더 큰 사람으로 발전시키기 위해 나는 모험을 떠나기로 마음먹었다. 평생 우물 안 개구리가 될 순 없다고 판단했다. 새로운 곳으로 이직해서 힘듦도 경험해 보고 슬픔도 경험해 보기로 결정했다. 그래야 나만의 경험치를 쌓을 수 있으니까. 그렇게 난 오래 정든 고향 집을 떠났다. 가족들과 멀어지는 기분이 들었지만 나의 행복을 진심으로 응원해 주는 그들 덕분에 기분 좋게 떠나올 수 있었다.

그들의 기대에 부응할 수 있도록, 나의 선택에 후회를 하지 않도록, 나를 아끼고 사랑하며 더욱 건강하게 성장할 수 있도록 벽돌을 차곡차곡 쌓아 나갈 것이다. 공든 탑이 무너

지지 않도록 틈틈이 보수작업을 하며 견고한 성을 만들어

야지.

그래서 지금 나는 어떻냐고? 이직 후 새로운 삶을 살 수 있을 것만 같은 생각에 기대가 컸다. 사실 갇혀 있던 곳에서 해방된 느낌이 들어 설레는 마음이 든 것이 먼저일지도 모르겠다. 마치 권태기가 온 커플의 이별처럼 나는 전 직장을 유유히 떠났고 새로운 시작에 대해 갈망했었다. 하지만 인생이 순탄하게만 흘러가리라는 나의 생각은 역시나 틀렸다. 오히려 이 선택이 맞는지 아닌지 혼란스럽기까지 했다. 방향을 찾은 줄만 알았는데 막다른 길에서 다다르니 너무 아찔한 기분이었다.

두 번째도 낯선 환경과 사람들에 적응하기는 역시나 힘들었다. 다양한 사람들, 그곳에서 일어나는 다양한 일 모든 것이 전부 힘듦의 연속이었다. 내 뜻대로 되는 일이 하나도 없었고 잘 흘러가는 줄 알았지만 역시 해결하기 어려운 일 투성이었다. 새로운 환경에서 새로운 스트레스는 기존에 경험했던 것과는 다른 신선한 느낌의 분노 자극이 되었다.

과연 내가 원하던 삶이 맞는 것인지 자괴감에 빠져 오랫동안 허우적거렸다. 과한 욕심을 낸 것은 아닌지, 스스로를 성장시키고 행복하게 만들기 위해 떠났는데 오히려 불행하게 만든 것은 아닌지 매일 고민했다. 이직을 하지 않고 그곳에서도 충분히 행복을 찾을 수 있지 않았을까라는 생각을 여러 번 하기도 했지만 스스로와의 대화를 통해 다시 답을 찾아봤다. 무엇을 위해 내가 이런 선택을 했고 행동으로 옮겼으며 그로 인해 내가 행복해질 수 있는 것이 맞는지 고민의 고민을 거듭했다.

셀프 문답을 통해 구렁텅이로 들어가려던 스스로를 건져 올린 뒤 하루하루를 의미 있게 살기 위해 노력 중이다. 일은 일대로 열심히 하며 나만의 삶을 확실하게 만들어 행복을 찾아가려 하고 있다. 경험을 통해 깨달음을 얻었다고 해도 다시 문제에 부딪히면 여전히 힘들었다. 분명히 답을 알고 있는 것 같으면서도 그 정답에 가까워지면 맞지 않는 답일 경우도 다반사였다. 하지만 그런 경험을 통해 경험치를 획득하고 조금 더 발전하는 사람이 되어가고 있다.

발전하고 성장하는 나를 보면서 좋은 기회에 장에 들어왔다는 생각을 많이 한다. 보여주기를 중요시하고 남에게 인정을 받기 위해 스스로를 '몰아세우기만 했던 나'였다. 하지만 모든 우선순위에 스스로를 꼭대기로 올려 '자신을 아끼려고 하는 나'로 변화하다 보니 삶에 행복이 많이 녹여지고 있는 중이다. 비판하고 탓하기 바빴던 내 삶에 무지개가 피어오르려고 한다. 역경을 이겨내는 삶은 쉽지 않을 것이다. 과거에도 그랬고 지금도 그렇고 미래에도 그럴 것이다. 하지만 나는 오늘도 스스로를 충분히 아끼고 행복을 찾기 위해 고군분투 중이다.

## 작가소개

**장한샘**

이름에 '샘'이 붙은 것처럼, 7년 차 특수교사로서 학교에서 학생을 가르치고 있다. 직장에선 열정적으로 몸과 마음을 바치고 퇴근 후에는 조용히 살고 싶어 한다. 하지만 마음속에 담아 놨던 하고 싶은 말은 많고, 말보단 글이 좋다며 작가의 삶을 살고자 한다.

'한샘'의 이름에서 나오는 느낌처럼, 평소 순하고 착한 성격에 속한다. 한때 착한 것에 대해 부정하며 치를 떨었지만, 지금은 착함을 바로 알고 착함의 가치를 알며 나 자신을 사랑하고 있다.


이메일 gkstoa3770@naver.com

인스타그램 @liaise_dream

브런치 https://brunch.co.kr/@specialsam

02

작가 장한샘

# 착함 사전

차례

## Part 3.

### 착함 백과: 부정 예문



## Part 4.

### 착함 백과: 맞춤법

# 프롤로그

## 세상이 알지 못하는 '착함' 비밀들

'오늘도 착해서 호구 잡혔습니다.'

피해 의식과 억울함과 분노가 쌓입니다. 그저 당하기만 하는 내 모습에 창피함과 수치심까지 느껴집니다. 왜 항상 저는 앞에선 쭈구리가 되고 뒤돌아서 이불 킥만 하는 졸렬한 사람이 되었을까요? 착한 사람은 착하다는 이유로 사람들로부터 좋은 평가를 받기도 하지만, 때로는 나쁜 평가를 받기도 합니다. 저같이 한평생 착하단 소리를 들은 사람은 착하단 소리를 듣기 싫어합니다. 그것은 칭찬이 아닌 비꼬임으로 여겨지기 때문이죠. 차라리 나쁜 사람이 더 쿨해 보이고 멋져 보이고 마음 편해 보이기도 합니다. 그렇게 나쁜 사람이 되어야 한다고 독하게 마음도 먹어봤지만, 태생이 글렀다며 바꾸지 못하고 좌절합니다.

되짚어볼수록 억울합니다. 착함은 따뜻한 것이라 배웠기 때문이죠. 어른들이 분명 그랬습니다. 착하면 복이 들어오고, 착함을 베풀면 다시 돌아온다고 했습니다. 그렇기에 착함은 나에게 그렇게 차갑게 대해선 아니 되었습니다. 착하다는 이유로 세상이 나를 이용하는 것처럼 느껴질 때, 차마 세상 탓은 못 하고, 만만한 나를 사정없이 타박했습니다. 이로써 몇 개의 수식어가 완성됩니다.

착함 = 나쁜 것, 착함 = 배신자

세상에 주위를 둘러봐도 비슷한 분위깁니다. 일명 '착한 사람 콤플렉스'라는 용어까지 등장하며, 착함이 나쁘게 변질되면 콤플렉스라는 수식어까지 붙게 됩니다. 서적도 마찬가집니다. 착함은 사양한다며, 착하고 좋은 사람은 포기한다며, 착한 사람으로부터 당장 탈출하라고 말합니다.

'착함 사전'의 이야기는 여기서부터 시작됩니다. 당신은 과연 '착함'에 대해 제대로 탐구해본 경험이 있는지, 착함은 그저 부정적으로만 생각하지는 않았는지 말입니다. 어쩌면 우린 편협한 시선으로 착함을 바라봤을 수 있습니다. 지금부터 들려드릴 이야기는 착함을 온전히 바라보는 시간을 갖기 위한 이야기입니다. '착함'이 대체 무엇인지, '착한 사람의 공통적 특징'은 무엇인지, '착함의 장점과 단점'은 무엇인지 말입니다.

착해서 좋았던 나와 착해서 싫었던 나에게 이 이야기를 들려주세요. 당신은 어떤 사람인가요?

끝으로 저의 메시지가 세상에 나올 수 있게 도와주신 리더인 대표님께 감사드립니다. 그리고 항상 나를 응원한 착한 아내에게도 감사합니다. 마지막으로 이 책을 함께 쓴 다행, 재명, 필중 작가님께 함께할 수 있어 감사드립니다.

# Part 1.
# 착함 백과: 뜻풀이

## 1. 당신은 착한 사람인가요?

"네, 저는 착합니다."

혹시 좀 뻔뻔했나요? 시작부터 툭 튀어나온 당돌함과 진지함에 불편함을 느끼셨다면 죄송합니다. 이렇게 앞뒤 수식 빼고 대뜸 본론만 들이대지만, 예의를 갖추는 것이 제 화법이니 이해해주세요! 다시 돌아와서 제가 착한 것은 누가 뭐래도 어쩔 수 없는 사실입니다. 제 이름은 '장한샘' 예부터 사람은 이름을 따라가는 삶을 산다는 말이 있던데, 이름부터 다소 착하지 않나요? 저를 직접 만나면 '아, 착한 사람이네'하며 단번에 느끼실 겁니다. 그런데 말입니다. 이렇게 뻔뻔하게 말하기까지 많은 에피소드와 비하인드가 있었습니다. (모든 것을 열거하려면 시간이 많이 걸리니 천천히 풀겠습니다) 사실 저는 서른 살을 먹도록 자신이 착한 것을 부정했습니다. 착하고 좋은 인성은 인생에 부정적인 영향을 끼친다고 믿어왔기 때문이죠. 이를 대변하듯 전대진 저자의 <내가 얼마나 만만해 보였으면> 는 이렇게 말합니다.

> **착한 사람이 나쁜 모습 한 번 보이면 "원래 저런 애야?"**
> **나쁜 사람이 착한 모습 한 번 보이면 "저런 면도 있네?"**
> **백번 잘하고 한 번 더 잘하면 그건 당연한 거고,**
> **백번 잘하고 한 번 못 하면 '여태까지 한 것 다 무효'**
> **아, 이런 거지 같은 경우를 봤나.**

아아! 문득 이런 거지 같은 고등학교 시절도 함께 생각납니다.

친구에게 여학생을 소개받았습니다. 긴 생머리에 수수한 외모, 깡마른 몸매의 여성, 그녀는 썩 제 이상형은 아니었지만 틱틱대는 유니크한 매력에 홀려 맘에 들기 시작했습니다. 하지만 찬물 끼얹듯 그녀는 저에게 이렇게 말을 던집니다.

"넌 너무 착해. 난 나쁜 스타일이 좋더라?"

저는 발끈하듯 대답합니다.

"나 완전 나쁜데? 착하지 않아"

그때부터였습니다. 저의 모순된 행동과 말들이. 어설프다 못해 오그라드는 욕설, 양아치 같은 말투, 무관심한 척하며 문자 답장 늦게 하기 등등. 결과는 어떻게 되었을까요? 네, 그녀는 끝까지 저를 우쭈쭈하고 귀여워하며 이내 연락이 끊겼습니다. 말할 수 없는 쓸쓸함이 나를 씁쓸하게 만들었습니다. 나는 역시 착함이란 틀에서 벗어날 수 없는 것이라며 자책합니다. 다시 한번 묻겠습니다. 당신은 착한 사람인가요? 앞선 이야기에 조금이라도 공감한다면 착한 사람일 가능성이 높습니다. 나이를 먹는다는 것은 고달픔과 동시에 나를 알아가는 과정이라고 합니다. 최근에서야 저는 제가 착하다는 것을 온몸으로 감각하고 깨끗이 인정하기로 했습니다. 그렇다면 착한 사람이란, 착함의 정의는 무엇일까요?

착하다[차카다]: 언행이나 마음씨가 곱고 바르며 상냥하다.

<네이버 지식백과사전>

곱고 바르며 상냥하다…. 감이 오시나요? 글쎄요. 저는 잘 모르겠습니다. 한 통계조사에 의하면, 거리에 있는 쓰레기를 주워야 함을 우리는 90% 이상 알고 있지만 실제로 행하는 이는 거의 없다고 합니다. 그렇다면 거리에 쓰레기를 줍지 않으면 착한 사람이 아닌 걸까요? '착함'에 대해 좀 알고 싶다는데 어째 파면 팔수록 혼돈의 카오스로 빠지는 것 같습니다. 다른 방법으로 착함을 알아보겠습니다. 모기 겐이치로 저자의 <착한 사람 콤플렉스를 벗어나는 뇌의 습관>에서는 '착한 사람'의 체크리스트를 다음과 같이 제시합니다.

- ☐ 자신의 의견이 있지만 좀처럼 말할 수 없다.
- ☐ 자기보다 다른 사람의 형편을 우선시한다.
- ☐ 주위로부터 감사받는 것이 삶의 보람이다.
- ☐ "예, 좋아요." "알았습니다."라고 반사적으로 대답해 버린다.
- ☐ 자신은 '참고 있는 것이 많다'라고 느낀다.
- ☐ 모두가 즐거우면 나도 즐겁다.
- ☐ 사람들로부터 미움받는 것이 두렵다.
- ☐ 다른 사람들이 나를 어떻게 보고 있을까, 항상 신경이 쓰인다.
- ☐ '손해 보는 역할'을 항상 맡는다.
- ☐ '착한 행동에는 항상 보상이 있다'라고 믿고 있다.

어떠신가요?

저는 10개 중 7개가 해당이 됩니다. 해당 항목이 많으면 많을수록 세상에서 말하는 '착한 사람'일 가능성이 높다고 합니다. 혹시 아직도 고개가 갸우뚱하시나요? 그럴 수 있습니다. 그만큼 '착함'이라는 개념은 단순한 것이 아니니까요. 우리는 더 행복해지기 위해, 나를 위해 사는 방법을 알기 위해, 나라는 사람의 정체성을 더 정확히 알 필요가 있습니다. 다음 장에서는 착한 사람의 공통적 특징이 무엇이 있는지 살펴보고, 나라는 사람을 좀 더 이해해봅시다.

## 2. 착한 사람의 공통적 특징

### 특징 1. 완벽해야 한다

벌레를 싫어합니다. 특히 '대충'이란 벌레를 제일 싫어합니다. 하는 일마다 최선을 다해 완벽하게 해내기 위해 노력합니다. '이왕 하는 거 제대로 해보자!'라는 심정으로 뭐든지 힘주어 몰입하고 열심히 했었죠. 어머니께서는 저에게 '하나를 하더라도 제대로 해라.'라고 가르쳐주셨습니다. 그 말씀을 듣고 저는 더욱 열심히 노력하여 완벽함을 추구하게 되었습니다. 그렇게라도 하지 않으면 남들에게 욕을 먹을 것 같고 책임감 없다는 소리를 들을 것 같았습니다. 이렇듯 착한 사람은 대부분 완벽주의를 추구합니다.

그런데 이런 완벽주의에는 거대한 함정이 있습니다. 우리는 완벽한 인간을 꿈꾸지만, 세상에 완벽한 사람은 없습니다. 완전함을 꿈꾸지만 모든 것은 불안합니다. 하지만 이를 누가 모를까요? 머리로는 알지만 착한 사람은 습관성 완벽을 추구합니다. 도대체 우리는 왜 그러는 걸까요?

미국의 손꼽히는 상담전문가 듀크 로빈슨은 이렇게 말합니다.

'사람은 선천적으로 사회적 동물이며,
완벽주의도 사회라는 맥락에서 살펴봐야 한다.'

젖은 낙엽처럼 들러붙어 떨어지지 않는 이 완벽주의의 원인은 나 때문이 아닐 수 있습니다. 저는 어렸을 적 유명 가수 이승기가 나온 고등학교에 다닌 것이 참 분했습니다. 그때 당시 엄친아의 개념을 탄생시킨 이승기는 엄청난 파급효과를 가져왔었죠. 나도 모르게 이승기처럼 운동도 잘하고 노래도 잘하고 공부도 잘하고 리더십도 갖추는 사람이 되고 싶었습니다. 사회는 언제부턴가 완벽한 사람이 제일인 것처럼 문화가 자리잡히기 시작했습니다. 열심히 노력해야 하는 이유가 안타깝게도 내적인 요인(스스로의 인정)이 아닌 외적인 요인(타인으로부터의 인정)으로 비롯되기 시작해버렸죠. 다른 사람에게 인정받으려는 욕구는 지극히 자연스러운 것입니다. 하지만 착한 사람들은 대부분 그 욕구에 지나치게 얽매인 탓에 자신을 가둬두고 부단히 노력합니다.

하지만 완벽주의는 다소 지루합니다. 뭘 그리 열심히 하는 로봇 같다며, 괜한 거리감과 공감대가 줄어들어 소원한 관계로 전락합니다. 따라서 완벽주의가 되고자 노력하면 할수록 남들은 당신을 좋아하지 않을 수 있습니다. 결국 타인으로부터 인정받겠다며 노력하는 완벽주의가 인간관계에서의 우울과 좌절로 이어질 수 있습니다. 완벽주의에 과하게 취하지 말 것, 우리가 기억해야 할 핵심입니다. 자신에게 너무 가혹하지 말 것, 무언가를 완벽하게 처리할 수도 없다는 가능성을 미리 생각하는 습관을 길러 부족한 점에 너무 연연하지 않는 것이 우리에게 필요한 자세입니다.

## 특징 2. 침묵한다

오늘도 침묵하고 맙니다. 하고 싶은 말이 턱 끝까지 차올랐지만 참고야 말았습니다. 집에 돌아가는 길에 불현듯 지나간 일이 떠오르며 나를 괴롭힙니다. 찝찝함을 질겅질겅 씹으며 어떻게든 삼켜보려 하지만, 잠자기 전 침대에 누우며 찝찝함이 또 떠오릅니다. 베개에 얼굴을 파묻혀 발을 동동 찹니다.

"하, 그때 말했어야 했는데. 그렇게 넘어가선 안 됐는데!"

왜 나는 꿀 먹은 벙어리처럼 항상 입을 열지 못하는 건지, 얼마나 바보처럼 보였을까? 분노까지 섞인 후회 속에 나는 좌절하고 맙니다. 좌절도 좌절이지만 뭔가 억울합니다. 어릴 때부터 침묵은 겸손한 것이라 배웠기 때문이죠. 침묵이 때로는 최선의 응답이라며, 말을 아낌으로써 나를 낮추는 동시에 타인을 존중하고 배려하며 이해해주는 것이라 자연스레 문화를 체득했었습니다.

하지만 침묵함으로써 굴욕스러운 상황이 닥칠 때마다 나의 굳건한 가치관이 흔들립니다. 침묵이 과연 최선의 응답이 맞는지, 가만히 있으면 반이라도 간다는데, 입을 꾹 다문 것에 후회하며 성찰을 하는 것이 도대체 이게 맞나 싶습니다. 왜 그런 걸까요? 침묵의 기저에는 두려움이 존재하기 때문입니다. 인간인 이상 두려움이 존재할 가능성은 누구에게나 있지만, 착하고 좋은 사람들이 두려움을 쉽게 마주하곤 합니다. 두려움과 더불어 착한 사람이 침묵을 지키는 이유는 가지각색입니다. 말하면 안 되는 상황일까 봐, 말하면 내 밑천이 드러나 무능해 보일까 봐, 말함으로써 비치는 욕심은 나쁜 것으로 생각하니까, 말했다가 상대방이 거절할지도 모르니까. 착한 사람은 이런저런 고민과 생각으로 침묵의 늪에 삽니다. 하지만 침묵의 늪에 빠지면 또 다른 문제를 초래합니다.

푸대접의 냄새가 납니다. 침묵으로 가져가야 할 몫을 양보했을 뿐인데 상대는 내가 관심 없다고 생각합니다. 나도 요구할 줄 아는데, 나도 먹고 싶고 받고 싶고 하고 싶은데, 다음은 이렇게 생각합니다. '내가 물로 보이나?' 그러곤 '가만히만 있으니 가마니로 보이나'라며 본의 아니게 부당한 삶을 마주합니다. 이렇듯 과도한 침묵은 우리의 삶에 악영향을 끼칩니다. 따라서 우리는 침묵을 일으키는 두려움의 정체를 우선으로 파악하기 위해 스스로 자문해야 합니다. 나는 무엇 때문에 침묵을 일관하는 것인가? 계속 묻고 또 물어 두려움을 바로 알아 때때론 분명하고 진솔하게 얘기할 수 있어야 합니다.

### 특징 3. 참는다

끓어오르는 화를 참는 건 오랜 습관이 되었습니다. 가끔, 아주 가끔 주최되지 않는 화가 폭발해버리면 격렬한 자기 반성을 하며 후회하곤 합니다. 그리고 다시 참기, 또 참기 그리고 반복, 악순환. 남는 건 '속이 좁다며 자책하는 치졸한 나'의 모습만 덩그러니 남습니다.

2년 전 일입니다. 당시 30대 초반의 젊은 나이에 부장 교사 직책을 맡았던 저는 수치심에 치여 살았습니다. 어리다는 이유로 내 말을 무시하거나, 호칭을 차별하여 부르는 등. 그래도 좋은 경험이라며 들뜬 마음으로 시작한 부장 교사의 삶은 그리 즐겁지 못했습니다. 아니다, 그게 중요한 게 아니라 즐거운 건 둘째 치고 혹여 꼰대라는 소리 들을까 이해라는 명목하에 벼랑 끝에서 참아오는 노력을 하며 살았습니다. 화병 난다는 말은 사실임을 알았습니다. 화를 참으며 스트레스도 쌓이고 면역력도 낮아지면서 결국 이마와 눈 전역에 대상포진이 올라와 입원까지 하는 상황으로 이어집니다. 이렇게 살아도 되는 것일까. 싶으면서도,

바보처럼 지금도 꽤 많은 것을 참으며 살고 있습니다.

화를 내는 것은 뭔가 잘못된 행동 같아 보입니다. 분명 화는 인간이 느끼는 감정 중에 하나고 지극히 자연스럽고 누려야 할 권리 중에 하나라고 생각이 듭니다만, 요즘엔 화 한 번 잘못 냈다가 분노조절장애가 있다며 비아냥거리는 분위기이기도 합니다. 이처럼 마치 '화'는 만성적 질환 취급을 받고 있습니다. 나도 화낼 줄 아는데 바보 취급받는 것 같아 분하기도 합니다. 이런 분함을 위로해주듯 미국의 심리학자 다니엘 골만(Daniel Goleman)의 <감성지능(EQ)과 인간관계>는 이렇게 말합니다.

"착한 사람들은 높은 감성지능을 가질 가능성이 높으며, 감성지능은 감정을 이해하고 다루는 데 도움이 됩니다. 화를 참는 것은 다른 사람의 감정을 고려하고 인간관계를 더 원활하게 관리하는 데 도움이 될 수 있습니다." 어쩌면 우리는 단순히 다른 사람과 관계를 깨트리고 싶지 않아서, 문제를 일으키고 싶지 않아서 참는 것이 아니라, 감성지능이 높아 우월한 역량으로 참을 수 있는 꽤 대단한 사람일지도 모릅니다.

하지만 보지 않아도 알 수 있는 것이 '화'입니다. 우리의 표정과 몸짓, 말투는 감정으로부터 비롯되기 때문입니다. 포커페이스라며 씩 웃더라도 틀림없이 한 쪽 입꼬리만 주욱 내려가 있는 걸 들통나버립니다. 우리는 이미 잘 알고 있습니다. 화라는 것은 지우개로 쉽게 지워지는 연필 자국이 아니라는 것을. 화라는 녀석을 억지로 구겨 넣다 위선자 소리를 듣는다거나, 애먼 데다 화내거나, 앓아누울 바엔 차라리 건전하게 화를 내는 것이 지혜로울 수 있습니다. 화가 났다고 솔직하게 시인하거나, 화를 추스르는 시간을 갖거나, 화가 난 상대와 거리를 두거나 말입니다. 화를 참기만 하다 보면 화의 노예가 될 수도 있다는 것을 우리는 잊지 말아야 합니다.

### 특징 4. 돕고 싶다

내 인생이 아무리 빈약한 인생이라도 남을 돕거나 조언해주는 일은 언제나 달콤합니다. 달콤한 일은 생각보다 주변에 쉽게 존재합니다. 마치 질량보존의 법칙처럼 내 도움이 필요한 사람은 주변에 한 명쯤은 있기 마련입니다. 착한 사람은 자신도 모르게 '사람들에게 도움을 줘야 한다'라는 기저 심리가 깔려있습니다. 그래서 우리는 누군가에게 부탁받거나, 다른 사람의 행동이 마음에 들지 않거나, 곤란할 지경에 처할 때마다 발 벗고 돕고 싶어 합니다.

때는 2017년, 임용고시에 합격한 저는 바닥 쳤던 자존감이 꽤 회복되었습니다. 나도 해낼 수 있는 것이 있다며 자신감이 가득해진 눈에는 기간제 선생님들이 선명하게 보였습니다. 마치 탐구하듯이, 그들이 말하지 않아도 왠지 내게 도움을 요청하는 것처럼 느껴지는 감상적이고 유치한 사람에 빠진 시절이 있었습니다. 때마침 A 선생님이 포착됩니다. A 선생님은 마치 내 삶을 들춰내는 것처럼 자존감이 낮았던 과거 저의 모습과 닮아 보였습니다. 보면 볼수록 안타깝습니다. 내가 잘할 수 있는 부분을 A에게 알려주면 A는 금방 행복해질 수 있을 것 같습니다. 한시라도 빨리 돕고 싶어집니다. 끝내 함께 공부해보자며 제안하며 도움을 자처합니다.

착한 사람의 흔한 헬퍼 스토립니다. 착한 사람은 누가 시키지도 않았는데 습관적으로 다른 이의 어려움과 필요성을 이해하려 합니다. 이런 동정심과 공감은 타인을 내가 이끌어줘야 할 것 같은 책임감으로 이어집니다. 그러곤 도움을 제공해 어려움이 해결되고 만족감을 얻어 뿌듯함을 느끼죠. 간혹 도움을 주려다 되려 기분이 상하는 일도 발생합니다. 돕고자 했는데 왜 화를 내는지 이유도 모른 채 어리둥절합니다. 그러곤 '다시는! 내가! 오지랖 부리지 않겠노라!' 하며 졸렬한 나를 탓하고 남의 인생에 관여하지 않겠다고 결심하지만, 작심삼일이 되곤 합니다.

한 가지 명심할 것은, 남을 돕고 조언을 한다는 건 상황에 따라 양날의 검이 될 수 있다는 점입니다. <나는 좋은 사람이기를 포기했다>의 저자인 미국의 저명한 상담전문가 듀크 로빈슨은 말합니다.

'조언은 강요의 또 다른 이름이다'

대부분의 조언이 잘못인 이유는 다른 사람을 제멋대로 주무르려는 의도가 숨어 있기 때문이라고 합니다. 심지어 조언을 부탁한다며 겸허히 수용하겠다는 자세를 취하는 사람에게도 조심해야 한다고 말합니다. 그 말에 우리는 기분이 우쭐해지더라도 그들에게 조언하는 것은 의무가 아니며, 모두에게 아무런 득이 되지 않는다는 점을 얘기하며 경각심을 일깨웁니다.

## 특징 5. 눈치 본다

"제발 눈치 좀 챙겨라. 쫌!" 눈치가 없던 어렸을 때 종종 듣던 말입니다. 잠자리 눈처럼 눈알을 굴리면서까지 눈치를 보는데도 나를 몰아세우던 말이라 억울하기만 했습니다. 사회에선 눈치가 너무 없으면 답답한 고구마처럼 취급당하기 때문에 저는 항상 눈치를 봐야만 했습니다. 그렇다고 눈치를 너무 많이 보면 그건 그것대로 욕을 먹기도 합니다. 도대체 어쩌라는 걸까요?

눈치 보는 것이 징그러울 정도로 지겹습니다만, 착한 사람은 눈치 보는 게 일상입니다. 착한 사람은 타인의 시선을 중시합니다. 눈치 보는 삶이란 말하자면 자신이 이기적인 사람처럼 보이거나, 민폐를 끼치는 일, 책잡히는 일을 절대로 허락하지 않는 삶을 뜻합니다. 문득 과거의 제가 생각납니다.

신규교사 시절, 그놈의 신규교사라는 딱지가 그렇게 싫었습니다. 까딱하면 신규, 신규라면서 비아냥하는 말이 그 어떤 말보다 선명하게 들렸기 때문입니다. 자기들은 신규 때가 없었나? 올챙이 적 생각 못 한다며 투덜대곤 했지만,

어쩌면 자격지심일지도 모르는 성찰에 빠져 군말 없이 열심히 하던 시절이었습니다. 일탈할 뻔했던 나를 꽉 잡아주는 방향키는 다름 아닌 눈치였기에, 눈치, 눈치, 눈치, 그놈의 눈치! 눈치는 미우면서도 놓을 수 없는 그런 애증의 관계였습니다.

그렇다면 우리는 왜 그토록 지겹게 눈치를 보는 것일까요? 한경은 저자의 <당신 생각은 사양합니다> 에서는 "타인의 시선, 평가, 눈치는 한 세트이다. 세 갈래로 엮인 한 줄기 썩은 동아줄 같다. 사랑받기 위해, 좋은 사람 혹은 능력 있는 사람으로 인정받기 위해 붙잡고 매달렸지만 결국 그 줄은 끊어지고 말 것이다."라고 얘기합니다. 그래서인지 보통의 착한 사람은 오늘도 눈치를 봅니다. 다른 사람의 감정을 세심하게 고려하며, 다른 사람들로부터 좋지 않은 평가와 비교를 당하지 않기 위해, 늘 사람과 좋은 관계를 유지하고 갈등을 회피하기 위해, 사람들의 기대를 실망하게 하지 않기 위해 눈치를 보며 삽니다. 하지만 지나치게 눈치 보는 삶은 한평생 상대방이 원하는 정답만을 찾는, 내 삶에 내가 없는 삶을 살아갈 수 있습니다.

눈치 좀 적당히 보는 게 좋겠습니다. 내 삶에 중심이 내가 아닌 것만큼 불행한 일은 없으니까요. 남이 감정이 좀 상하면 어떤가요, 내 감정이 더 중요하지. 내 평가가 좀 안 좋으면 어떤가요, 나 자신이 떳떳하면 그만이지. 관계가 좀 안 좋으면 어떤가요, 다른 사람과 더 잘 지내면 되죠. 기대를 저버리면 좀 어떤가요, 다음 기회에 보여주면 되죠. 우리는 좀 더 다른 사람의 반응에 의연해질 필요가 있고 조금은 이기적이어도 충분히 괜찮은 사람입니다.

지금까지 우리는 착한 사람의 공통적 특징을 살펴봤습니다. 가슴이 뻐근하도록 일일이 당연하고 옳은 얘기로만 느껴졌다면, 다음 장부터는 좀 더 다른 접근과 시각으로 '착함'이란 녀석을 살펴볼 차례입니다. 착한 것의 좋은 점이 무엇인지, 나쁜 점은 무엇인지 한 꺼풀씩 까보며 공중에 내던져 볼 것입니다. 과연 앞면이 나올지 뒷면이 나올지는 여러분의 몫입니다.

# Part 2.
# 착함 백과: 긍정 예문

## 1. 나를 믿어줘서 고맙다

착함에 색깔이 있다면, 시꺼먼 검은색도, 강렬한 빨간색도 아닌 투명한 하얀색에 가깝지 않을까 생각이 듭니다. 착한 사람은 대체로 바르고 정직한 의도가 몸을 뺐기 때문에 사람들 속 신뢰의 아이콘으로 쉽게 자리 잡습니다. 그렇게 형성된 이미지는 나의 실수를 보호해주는 방패 역할을 하기도 합니다. 가끔 실수로 나쁘게 오해할만한 행동을 비춰도 착함이란 든든한 방패 덕에'재는 저런 사람이 아니야.' 또는 '그럴만한 이유가 있었겠지' 하며 알아서 나라는 놈을 지켜주곤 하죠.

3년이 더 지난 일입니다. 담임교사를 맡았던 저는 한 학생 때문에 1년을 속앓이하며 피로했습니다. 교사도 인간이기에 수많은 학생 중 코드가 전혀 안 맞는 학생을 마주한 것입니다. 비아냥거리며 픽 웃는 그 학생의 표정은 지금 생각해도 참 얄밉습니다. 무슨 말을 해도, 무슨 행동을 해도 우리는 서로 쉽게 이해하지 못하고 공감하지 못했죠. 그러던 어느 날 등교를 맞이하는 상황에서 작은 사건이 터집니다. 우중충한 날씨에 기분도 우울했던 나에게 그 학생은 아침부터 저에게 시비를 걸고 맙니다. 평소 같으면 이런 농이 한두 번이냐며 웃으며 넘어갔을 일도 미간이 찌푸려지며 감정이 치솟고 맙니다. 저는 그만 교감 선생님이 뒤에 있는 줄도 모르고 양손으로 감정을 담아 그 학생을 힘껏 밀칩니다. 학생은 넘어지지는 않았지만 휘청거리며 다칠 뻔합니다. 밀려버린 학생도, 밀친 나도 동공이 확장되며 화들짝 놀랍니다. 지금 내가 무슨 짓을 한 거지? 어른답지 못하게, 선생님답지 못하게 나는 지금 무엇을 한 것인가? 하마터면 학생이 크게 다칠 뻔하지 않았는가? 머릿속이 잠시 하얘지고 이 민망하고 어색해져 버린 분위기를 어떻게 수습해야만 하나 뇌가 정지됩니다. 그때 교감 선생님께서 유쾌하고 지혜롭게 풀어갑니다.

“아이고 장한샘 선생님, 아침을 지나치게 든든하게 먹고 왔나! 왜 이렇게 힘이 세~! 장난 좀 살살 해.”

이어서 학생에게도 말합니다.

“OO야, 놀랐지? 그래도 아무리 선생님이 반가워도 그렇지, 장난이 좀 지나친 것 같다! 조심해~”

교감 선생님은 내가 학생을 손찌검하는 오해할법한 상황에서도 묻지도 따지지도 않고 그렇게 상황을 정리해주시곤 바람처럼 사라지셨습니다. 평상시의 나라는 사람을 알고 온전히 나를 믿기에 가능했던 일인 것입니다. 사회심리학자 필립 존 머벤(Filip Johan Mervin)은 ‘헌신적 미소(Halo Effect)’ 개념을 제시합니다. 헌신적 미소란 어떤 사람이 어떤 긍정적인 특성이 있다고 인식하면, 이 사람의 다른 특성도 긍정적으로 평가되는 심리 현상을 의미합니다. 즉, 착한 이미지를 가진 사람은 다른 행동에 대해서도 긍정적으로 보이게 된다는 뜻입니다.

‘착함’은 그저 남에게 뭐든 퍼주고 허공을 향해 돈을 뿌리는 것처럼 손해 보는 것처럼 느껴질 수 있지만 결국 그 무엇으로도 살 수 없는 신뢰감을 얻으며 살아갈 수 있습니다.

## 2. 책임을 지고 필요한 존재가 된다.

착한 사람이 말하는 책임감은 그 무게가 남다릅니다. 무언가 주어지면 절대 가볍게 여기지 않습니다. 눈빛이 생생해져 양심의 선을 확실하게 긋고, 이것이 내가 할 수 있는 최소한의 예의라고 생각하며 밤을 새우더라도 어떻게든 그 일을 해내고야 맙니다. 과장한 면이 있지만 무슨 말인지 어렴풋이 이해했다면 당신은 착한 사람일 가능성이 높습니다.

책임의 끝판왕은 어디일까요? 군대가 빠질 수 없습니다. 국가의 안전과 방위를 책임지기 위해 밤낮으로 고생하는 군대라는 조직이 굴러가기 위해선 최고의 리더십이 필요합니다. 영화 <위 어 솔저스>의 실제 주인공인 '할 무어 중령' 역시 탁월한 리더십을 가지고 있었습니다. 죽어서라도 부하들과 함께 돌아갈 것이라는 책임감과 솔선수범의 정신으로 부하들의 많은 존경을 받았습니다.

할 무어 중령 정도는 아니지만 허리를 꼿꼿이 세울 수 있었던 저의 군 생활이 생각납니다. 어렸을 적 내성적인 성격으로 앞에 나서는 걸 싫어했던 저는 반장 한 번 안 해봤습니다. 아니, 못 해봤습니다. 리더라는 것은 똑 부러지고 나서는 걸 좋아하며 활발한 사람이 하는 것이니까, 여자 앞에 서면 제대로 말도 못 하던 찌질한 내가 감히 끼어들어선 안 된다며 내 앞에 새빨간 선을 긋고 절대 넘어갈 생각조차 안 합니다. 아니, 못합니다. 아니, 아니, 안 하는 건지 못 하는 건지 무슨 말을 하는 건지도 헷갈리지만, 아무튼 중간 정도로 적당히 살면 고요하고 심심하지만 별 탈 없는 무난한 삶에 이거면 됐다며 자위하고 살았습니다. 그러면 되는 줄 알았습니다. 시간이 흐르며 나는 리더라는 자리에 어울리지 않는 사람이라며 정체성이 굳어갑니다. 하지만 군대라는 곳은 달랐습니다. 흔히 말하는 짬밥을 먹으면 계급이 올라가는 형태이니, 단 한 명이라도 누군가를 책임지고 이끌어갈 피하고 싶은 날이 오고야 맙니다. 막내 소리에서 갓 벗어날 무렵, 신병교육대에서 온 후임들이 줄을 서서 들어옵니다. 스무 명쯤 되어 보이는 무리 속에서도 유난히 눈에 띄는 한 명이 보입니다. 온몸이 태닝한 듯한 구릿빛의 새까만 피부, 그 속에서 하얗고 거대하게 빛나는 눈, 큼직하지만 화살처럼 날카로운 코, 두피와 머리카락이 분간되지 않을 정도의 삭발한 머리, 헐크 같은 덩치, 마무리는 팔뚝에 호랑이 문신. 누가 봐도 저 사람은 보통 사람이 아님을 바로 느낄 수 있었습니다. 설마설마했는데 설마가 일어났습니다. 내 맞후임으로 들어온 그는 나를 처음 보고 무슨 생각을 했을까요? 평범한 키와 삐쩍 마르고 뿔테 안경을 쓴 저의 첫인상은 어땠을까요?

생각에 잠시 잠깁니다. 나를 얕잡아보고 선임 대우를 받지 못하면 어쩌지, 제 할 일을 안 하려고 하면 어떡하지 하는 생각. 별수 있겠냐며 저는 평소 하던 대로 합니다. 내 할 일을 충실히 이행하고 내가 해왔던 것을 선한 마음을 다해 맞후임을 가르쳐봅니다. 관물대 정리법, 군화 닦는 법, 군가 하는 법 등. 가르치는 대로 모든 것을 따라오면 좋았겠지만 그렇지도 않았습니다. 덩치가 너무 커 좌심실 비대증이 있었던 맞후임은 조금만 움직여도 쉽게 헉헉거리며 땀이 나고 힘들어했습니다. 이런 사람이 어떻게 현역에 왔냐며 이해가 가지 않을 정도였습니다. 건강상의 이유로 하지 못하는 그의 몫을 제가 땀을 뻘뻘 흘리며 책임지곤 했습니다. 시간이 흐르고 그는 저의 든든한 오른팔이 됩니다. 저보다 높은 선임에게도 장난을 치고 얕잡아 보곤 하지만 저에게는 무조건 충성을 다했던 후임이 되었습니다. 그렇게 저의 군 생활은 나름 행복했습니다.

서번트 리더십(Servant Leadership) 이론을 개발한 로버트 K. 그린 리프(Robert K. Greenleaf)는 이상적 리더는 이타적 윤리성을 갖춘 사람, 즉 착한 사람이라고 주장합니다. 착한 사람은 자신에게 부여된 권력을 최대한 적게 사용하며 통제를 줄이고, 그 대신 다른 사람이 원하는 것을 이루도록 돕고 떠받듭니다. 이렇게 함으로써 리더에 대한 자발적인 존경과 신뢰를 형성하고 조직을 이끕니다. 우리의 착함이 서번트 리더십으로 이어진다면, 어딘가 분명 필요한 존재가 될 것입니다.

## 3. 긍정적이고 만족감이 높다.

긍정과 만족은 착한 사람에게 무궁무진한 활력입니다. 착한 사람은 대체로 긍정과 만족감이 무궁무진하여 스트레스와 불안, 우울함에 쉽게 빠지지 않습니다. 무궁하다는 말이 참으로 거창해 보이며 나는 그 정도는 아니라며 와닿지 않을 수 있습니다. 하지만 조금만 더 깊이 생각해보면, 우리는 충분히 긍정적이고 만족감이 높은 사람에 속합니다. 맛있는 음식을 먹을 때, 신나는 음악을 들을 때, 무언가를 해낼 때, 소위 말하는 소확행(소박하지만 확실한 행복)을 느낄 수 있습니다.

심리학자 앨버트 반더브룬드(Albert Bandura)이 제시한 자아 효과 이론(Self-Efficacy Theory)은 착한 사람이 긍정적이고 만족감이 높은 이유를 설명하고 있습니다. 자아 효과 이론이란, 개인이 특정 과제 또는 상황을 어떻게 대처하고 완료할 능력에 대한 자신의 신념을 의미합니다. 자아 효능감 이론의 핵심 요소에는 자기효능감, 목표 설정, 사회적 비교 등이 있는데, 이 모든 요소가 착한 사람과 그렇지 않은 사람 사이에서 현저한 차이를 보인다고 할 수 있습니다.

스무 살의 손이 시리던 겨울, 교회에서 소록도라는 섬에 봉사활동을 간 적이 있습니다. 봉사활동은 그저 의례적이고 형식적인 벌처럼 느껴졌던 그 시절, 우연히 참여하게 된 저는 '추억 쌓으며 좋은 경험'을 쌓겠다는 정도의 마음으로 갔습니다. 일제강점기 시절, 사방이 빨간 벽돌 건물들로 둘러싸인 차갑고 새하얀 기괴한 방 안에서, 한센병을 앓은 사람들을 상대로 말로 표현할 수 없는 생체실험과 고문, 감금의 아픔이 깃든 소록도. 그 지독하고 고독한 시간을 보낸 할머니와 할아버지의 손과 발은 한 쪽씩 형태를 잃은 채 모습이 보이지 않았습니다. 그들은 그런 투박한 손으로 내 손을 붙잡고선 고맙다며 눈물을 흘립니다. 이때 저는 추억 쌓겠다는 가벼운 마음을 가졌던 나 자신이 한없이 치욕스럽고 부끄러움을 느끼게 됩니다. 이유야 어찌 됐든 이 먼 곳에 온 것만 해도 그들은 저의 손에 눈물을 적십니다. 딱히 내세울 것도 없던 내가 누군가에게 고마움을 넘어 경이로움까지 선사할 수 있구나. 그렇게 소록도의 겨울밤은 저에게 그윽하면서 진한 향을 남기고선 더욱더 긍정적이고 만족할 줄 아는 새로운 삶을 살 수 있는 터닝포인트가 됩니다.

이렇듯 착한 사람은 긍정적인 사람이 많습니다. 자아 효과 이론처럼 착한 사람은 자기 삶에 감사하고, 작은 것에도 행복을 느낄 수 있습니다. 이는 착한 사람이 타인을 배려하고, 타인의 행복을 위해 노력하기 때문입니다. 또한, 착한 사람은 자기 행동에 대한 책임감을 느끼고 있으므로, 어려운 상황에서도 긍정적인 태도를 유지하려고 노력합니다.

### 4. 협력하고 공감할 수 있다

'너 T야?'

MBTI 검사의 T(감성보다 논리적이고 사고형을 가진)를 따서 공감 못 하는 이들을 잡아 부르는 이 문구는 하나의 밈이 되어 농담처럼 사용되곤 합니다. 아내가 비웃을 수도 있겠지만 대문자 T인 저는 남에게 아쉽지 않을 만큼 충분히 공감한다고 생각합니다. 나쁜 사람 무리로 편입되기 싫어서라도 T지만 애써 노력하는 꼴이죠. 하지만 이런 어설픈 노력일지라도 효과는 자랑할 만큼 꽤 좋았습니다. 어려서부터 어느 집단에 속하던 사람들에게 증오를 사지 않을 만큼 대인관계를 유지했었습니다.

풋풋했던 대학 시절이었습니다. 스무 명 남짓한 우리 과는 모두 개성이 넘쳐났습니다. 사연 많은 스물 중후반의 형들, 한 명 한 명 톡톡 튀는 남학생과 여학생들. 꼰대 같은 복학생들, 고등학교 때까지만 해도 끼리끼리 어울리면 그만이었지만, 대학생이 되자 상황이 달라졌습니다. 우리 과는 특별하다며 가족 같은 분위기를 추구합니다.

"다들 뭐 없지? 꼭 참석해!"

"야이씨, 형이 하자면 해야지!"

"선배가 우스워?"

"이번 체육대회, 무조건 이겨야 해. 수업 끝나고 당장 튀어와"

참여하기 싫은 행사도, 참석하기 귀찮은 모임도, 하기 싫은 운동도 모든 것을 함께했습니다. 내향적인 저는 자칫하면 적응하기 힘들뻔합니다. 그런데도 어디로 일탈하거나 튀지 않고 잘 적응할 수 있었던 원천은 '다름을 이해하고 공감할 줄 아는 것', '열린 마음과 수용하는 태도로 함께할 수 있는 협력적인 태도' 이 두 가지가 없었다면 열심히 고개를 끄덕이며 학교에 다니지 못했을 것입니다. 지금 돌이키면 참 감사하고 다행입니다. 가끔은 선을 넘는 행패로 하고 싶은 말이 목구멍까지 차올라 감정적으로 행동할 뻔한 것도, 왜 그땐 용기가 없었냐며 이불킥을 찼었지만, 그런 경험이 쌓여 저의 내면 그릇을 단단하게 만들어 주었습니다. 다양성을 존중하고 사람을 좀 더 포용해줄 수 있는 사람으로 진화시켜 극 T이지만 필요시 F를 꺼낼 수 있던 것입니다.

'타인지향성'이라는 말이 있습니다. 이는 나의 내적 성장과 관계의 건강성을 위한 건설적인 개념입니다. 착한 사람은 타인지향성의 향이 강할 수 있습니다. 우리가 이토록 협력하고 공감할 수 있는 원천은 타인지향성이 강해서일 수도 있습니다. 따라서 착한 사람은 타인의 삶을 이해하고 진정으로 소통하며 연대하는 방향을 가지고 살 수 있습니다.

# Part 3.
# 착함 백과: 부정 예문

## 1. 거절하지 못하고 희생한다.

“저기 미안한데, 부탁 하나만 해도…. (될까?)”

“(말이 끝나기도 전에) 말씀(만)하세요!”

스스로가 놓은 덫에 걸려버렸습니다. 그것은 바로 거절의 덫. 그깟 덫 따위 맘만 먹으면 발로 차버려 치울 수 있음에도 그러지를 못합니다. 마치 지나치기 어려운 정거장을 마주한 느낌입니다. 이럴 수도 저럴 수도 없는 상황은 참 난이도 극악입니다. 착한 사람은 유독 상대방에게 단호

하지 못하고 거절하기 어려워합니다. 그렇게 거절하지 못해서 받는 대가는 꽤 쌉쌀합니다. 홀로 마음의 상처가 생겨 아물 때까지 견디거나, 몸으로 때워 생고생하거나. 거절이 뭘 그리 어렵냐는 시선이 간혹 있는데, 착한 사람에게 거절은 딜레마 같은 것이어서 더욱 어렵습니다. '착함'의 이미지가 굳어진 시점에서 거절이란 카드를 내밀면 상대는 당황합니다. 아니 당황이 아닌 황당에 가깝습니다. 마치 내가 못 할 소리 했냐며 이상하게 쳐다보는데(나도 거절할 권리 있다고!) 무조건 YES를 외치는 사람인 줄 압니다.

영화 <부당거래>의 희대 명언, '호의가 계속되면 권리가 된다'라는 말은 진리가 됐습니다. 같은 맥락으로 YES가 계속되면 그 사람은 YES밖에 모르는 사람으로 암암리 낙인이 찍힙니다. 나 자신이 착한게 혐오스럽기까지 했던 어느 날입니다. 착하다며 이곳저곳에서 일을 자꾸 얹혀주는 것이 느껴진 적이 있습니다. 불만이 머리끝까지 쌓이던 저는 동료 교사한테 속내를 속사포처럼 털어놓습니다.

"쌤! 솔직히 말해줘, 내가 그렇게 만만한 이미진가?"
"실없이 계속 웃으니까 그런가?"
"너무 친절하게 말해서 그런가?"

"얼굴이 문제인가? 착하게 생겨서?"

뜬금없는 공격성 질문에 잠시 머뭇거리다 서둘러 대답합니다.

"그렇..진 않지?"

긍정도 부정도 아닌 것이, 뜨뜻미지근한 대답에 나는 비죽하게 입이 나와버립니다. 판도라의 상자처럼, 희대의 미스터리처럼, 현재도 그때 뱉었던 질문을 마음 한구석에 가둬두고 온전히 해결하지 못한 채 살아가고 있습니다. 이렇듯 착한 사람 프레임을 씌우기는 너무 쉽지만, 그 틀을 깨는 것은 운명을 거슬러 올라가는 만큼 어렵습니다. 왜냐하면 착한 사람은 타인의 욕구나 기분을 민감하게 살피고, 그에 맞춰 반응하는 '타인지향성'의 경향이 강하기 때문이죠. 앞서 언급한 타인지향성으로 인해 협력과 공감에 강점이 보이기도 하지만, 너무 과하면 단점이 되기도 합니다. 착한 사람은 보통 상대방에게 거부당하거나 비난받을 상황을 피하려고, 타인의 욕구나 기분을 세심하게 살피면서 그에 맞춰 반응하기 때문입니다. 돌이켜보면, 저는 살아오면서 남들을 위해 몸과 마음을 바쳐 힘을 다한 것 같습니다.

그것을 헌신이라 불러야 할지, 희생이라 불러야 할지는 잘 모르겠습니다. 다만, 사람들은 눈곱만큼의 작은 상처는 오래 기억하지만 큰 은혜는 얼른 망각해버립니다. 상처는 빚이고 은혜는 잊어도 되는 빚이라 생각하기 때문이죠.

함께 일하는 부원들이 모두 바뀌던 해였습니다. 모두 새로운 일을 해본 경험이 없어 A부터 Z까지 알려주고 챙겨야 했습니다. 부모가 자식에게 대하듯 나는 온 마음을 다하여 친절하고 정답게 대합니다. 가끔 어쩌다, 아니 필연적으로 발생한 실수들은 발생하기 마련입니다. 그럴 때마다 미간을 찌푸릴 법도 하지만 당연히 그럴 수 있다며, 괜찮다며, 대인배처럼 너털웃음을 짓습니다. 그들이 처한 어려운 여건과 상황을 200% 이해한다며 내가 하나라도 짐을 덜기 위해 노력합니다. 그러면서 드는 생각.

'이 정도면 나에게 고마워하겠지?'
'부장 교사로 좀 인정해주려나?'

헌신도 기브앤테이크라 생각한 모양입니다. 내가 당신을 위해 이렇게까지 고생하는데, 당신은 나를 위해 좁쌀 한 톨이라도 주어야 하는 것이 아닌가 하면서 말입니다. 그런데

어쩨 돌아오는 반응이 영 시큰둥합니다. 한없이 섬세하고 유약했던 저는 구시렁거리기 시작하며 홀로 격렬하게 마음을 태웁니다. 지금까지 내가 무엇을 위해 그렇게까지 했던 것인가 하며 허무함만 쓸쓸하게 남습니다.

## 2. 무시당하며 우울하다

한바탕 장마가 끝나고 아지랑이가 피어오르는 8월이었습니다. 구름 한 점 없는 강한 햇빛과 겨드랑이에서 이끼가 낄 것 같은 습한 날씨는 가만히 있어도 짜증이 올라왔습니다. 그런 짜증을 억누르며 오늘도 바쁜 일에 정신없던 날이었습니다. 외부 기관에서 미팅이 잡혀있던 날인지도 모른 채 말입니다. 외부 기관 소속 A씨는 도착하여 전화가 옵니다. 전화가 온 순간부터 '아 맞다!' 하며 심장이 덜컹합니다. 불행 중 다행은 큰 준비가 필요치 않은 미팅이라 급한 대처가 가능했습니다. 일단 전화부터 받아봅니다. 들려오는 날카로운 목소리.

"여기... 도착했는데 어디로 가면 되죠?"

당황했지만 당황하지 않은 척, 하지만 솔직히 말하는 게 낫겠다며 허둥지둥 상황 설명하는 장한샘씨.

"아 그게...정말 죄송해요. 선생님. 제가 일정을 착각해서요. 다시 한번 죄송합니다. 금방 자리 마련해서 다시 연락드리겠습니다. 죄송하지만 잠시만 기다려주시겠어요?"

안 그래도 날카로운데 한껏 진해지는 예민한 목소리

"??...네."

학생들한테 복도에서 뛰지 말라며 잔소리하던 내가, 육상선수처럼 뛰어다니며 자리를 마련하곤 기다렸을 A에게 달려갑니다. 시계를 보니 2분 정도 걸렸습니다.

"많이 기다리셨어요? 이쪽으로 오세요!(숨을 헐떡이며)"

A씨는 나의 착하고 순한 얼굴과 당황하면서도 친절한 말투를 빠르게 감지한 채, 대답도 하지 않고 인상을 구깁니다. 아니나 다를까 도착하자마자 한껏 참은 감정을 시원하게 내뱉는 목소리.

"저기요 선생님, 왜 이렇게 된 건지 자세한 설명이 필요한 것 같은데요? 외부에서 온 저희가 왜 그렇게까지 서서 기다려야 했는지, 이거는 좀 무례한 거 아닌가요?"

안 그래도 내려앉은 심장에 화살까지 맞은 느낌이었습니다. 그 고통을 느끼기도 전에 나는 이 상황을 얼른 진정시키기 위해 사과를 합니다. 내가 잘못한 것은 맞으니깐.

"그렇게 느끼셨다니 다시 한번 죄송합니다. 선생님, 일단 예정된 일정이 있으니 먼저 진행하시고,,, 이따가 다시 얘기하시죠."

짧고 강력한 태풍이 지났습니다. 홀로 시간을 가지고 생각이란 것을 해보니 상황이 정리되면서 화가 나기 시작합니다. 이따가 무슨 얘기를 해야 하나, 내가 그렇게 잘못을 한 것인가, 내가 그렇게 무례를 범할 정도로 잘못을 한 것인가? 만날 시간이 다시 되어 멘탈을 무장하고 다시 조우합니다. 그러더니 갑자기 치고 들어오는 첫 마디.

"부장님, 아까는 좀 당황하셨죠? 죄송해요. 제가 아깐 못 알아뵀네요."

샤프했던 목소리는 부드러움으로 포장되어 웃음과 함께 돌아왔습니다. 코로나19 실내 마스크 해제가 되고 처음 만난 우리는, 부장인 나를 못 알아봤다며 죄송하다는 것이었습니다. 어이가 없었습니다. 부장 교사가 어쨌다는 것인가, 부장 교사였으면 나에게 무례했다고 소리치지 않았다는 것인가? 처음 보자마자 A씨가 느낀 나라는 사람은, 착한 외모와 친절한 말투로 가볍게 상대해도 될법한 판단이 되었는지 그렇게 한껏 말로 두드려 패놓고선 이게 무슨 일인가 싶었습니다. 대화는 평화롭고 훈훈하게 마무리되었지만, 끝은 우울함이 남았습니다. 착한 외모와 성격, 말투가 어떤 죄를 지었을까요?

사회심리학자 워네르 립만(Walter Lippmann)은 이와 관련하여 스테레오타입(Stereotype concept)이란 개념을 제시합니다. 스테레오타입이란 특정 집단에 대한 고정관념이나 편견을 바탕으로 그 집단의 구성원을 일반화하는 것을 의미합니다. 이는 집단의 구성원들이 개별적 특성이 있음에도 불구하고, 집단 전체에 대한 단일한 이미지나 인식을 갖는 것을 말합니다. 따라서 사회적으로 착한 외모나 성격, 말투는 일부 사람들에게는 '약하다' 또는 '너그러운 성향'과 관련된 스테레오타입을 활성화할 수 있습니다.

### 3. 완벽주의에 자기 비난을 한다.

앞서 착한 사람은 완벽주의라는 공통점이 있는데, 이 완벽주의는 자칫 사회적 병폐를 낳고 자기 비난에 빠질 수 있습니다. 문득 완벽주의의 끝을 달렸던 부장 교사를 처음 맡았을 적이 생각납니다.

젊은 나이에 부장 교사를 맡게 되어 자격지심이 들었습니다. 그래도 부장이라는 직책에 걸맞은 일을 해야겠다는 생각에 노력했습니다. 야근은 밥 먹듯이 기본으로 전제하고 일에 몰두합니다. 부서원은 부장에게 숟가락만 얹으면 될 수 있게 어지간한 일은 도맡아서 하려 합니다. 하나하나 놓치지 않겠다며 빈틈없이 일을 살피며 피드백합니다. 장한샘이 이끄는 부서는 뭐가 달라도 다름을 느끼기 위해 새로운 시도와 도전을 거침없이 벌립니다. 하지만 반년도 지나지 않아 나의 완벽주의가 잘못됨을 깨닫게 되는 한샘 부장님. 일이 성공적으로 마무리 돼야 한다는 압박감은 스트레스로 이어집니다. 아무리 완벽한 계획도 예상치 못한 변수로 틀어지며 짜증이 확 몰려옵니다. 혹여나 실수를 저지르는 날엔 정말이지 굴욕스럽고 죽을 맛입니다. 그런 날은 참 나 자신이 바보 같고 어리석다며 자책합니다. 이렇듯 완벽주의는 자칫 자기 비난에 빠질 수도 있는데, 자신을 넘어 상대방에게 그 영향이 전가되어 꼰대의 길로 빠지기도 합니다. 나의 완벽지향성을 다른 사람에게까지 강요하는 것은 완벽한 꼰대가 아닐 수 없습니다. 솔직히 본인도 완벽하지 않은데 말이죠. 제가 그랬습니다. 이름하여 착한 꼰대. 꼰대면 꼰대지 착한 꼰대가 어딨냐며 아내가 놀리곤 합니다.

다시 돌아와서, 착한 사람의 완벽주의 삶을 변명하기 위해서는 다음과 같은 이유를 댈 수 있습니다.

'타인에 대한 배려와 도우려는 마음'
'부모로부터 사랑과 인정을 받기 위한 강박'
'실수하면 타인에게 미움을 받게 될 것이라는 두려움'

우리는 각자 지금까지의 인생이 모두 달랐겠지만, 기본적인 본성과 욕구는 비슷합니다. 이 본성과 욕구는 완벽주의라는 벽을 마주하게 될 수밖에 없고, 이 벽을 지혜롭게 넘지 못하면 자기 비난에 빠질 수 있습니다.

## 4. 독립성을 잃고 무력하다

착한 사람은 보통 사람들에게 잘 맞춰줍니다. 어떤 부탁이든 웃으며 수락하고 무엇이든 다 좋다며 괜찮다고 말합니다. 괜찮지 않아서가 아니라 정말 괜찮아서 괜찮다고 말합니다. 따라서 착한 사람들에게 늘 어려운 질문은 다음과 같습니다.

'뭐 먹을래?'
'무슨 TV 프로그램 볼까?'
'주말에 뭐 할래?'
'어디로 여행갈까?'

다시 봐도 너무 어려운 질문입니다. 이에 대한 대답은 보통 정해져 있습니다. 웬만하면'아무거나!' 그런데 '아무거나'를 너무 남발하면 너는 무슨 맨날 그러냐며, 줏대 없다고 놀림 받기 일쑤입니다. 그런 말을 듣지 않기 위해서라도 타협하는 요즘 대답은 '적당히 호불호 없는 무난한 종류의 대답'을 선택하곤 합니다. 아래와 같은 대답이 될 수 있겠습니다.

'뭐 먹을래?'

'어젠 중식 먹었으니 중식 말고 아무거나!'

'무슨 TV 프로그램 볼까?'

'OOO나 OOO?'

'주말에 뭐 할래?'

'날씨도 좋으니 OO 아니면 OO 할까?'

'어디로 여행갈까?'

'지난번엔 유럽 쪽을 갔으니 이번엔 동남아 쪽으로?'

참 애쓴다. 애써. (웃음) 물론 위 질문은 착한 사람뿐만 아니라 많은 사람에게 생각보다 어려운 질문입니다. 착한 사람에게 특히 더 어렵다는 것이죠. 착한 사람은 결정을 내려야 하는 질문에 엄청난 책임감을 느끼고 시원하게 대답을 못 합니다. 나의 대답이 혹여나 그릇된 결과를 가져올까 두려움이 크기 때문이죠. 그렇게 상대에게 결정을 떠넘기면 후련해집니다. 나는 조금 손해 보더라도 마음은 편하니 괜찮습니다. 만약 결과가 좋지 않다면 괜찮다고 반복하며 한 차원 더 관대해짐을 느낍니다. 이러한 순환 방식은 묘한 중독성이 생깁니다. '착함'에 옭매이며 계속해서 착해지고 싶습니다. 시간이 흐르며 무엇을 결정하는 것은 귀찮아지고 독립성은 더욱 약해집니다. 그냥 상대방이 알아서 다 결정해줬으면 좋겠다고 생각합니다. 이후엔 아무것도 하기 싫다며 무력감에 빠집니다.

대체 왜 그런 것일까? 심리학자 칼 로저스(Carl Rogers)는 인간 심리학 이론을 제시하여 이유를 이해시킵니다. 이는 자기 개념, 자기 평가, 자아실현에 관한 개념을 강조하는 이론이며, 착한 사람이 의존적일 수 있는 이유 중 하나는 앞에 제시한 자기 개념이 다른 사람의 수용과 승인에 지나치게 의존하는 경우이며, 이는 자아개념이 형성되지 않고 자아실현이 억제될 수 있다고 주장합니다.

지금까지 착한 사람으로 살아갔을 때 느낄 수 있는 장단점을 알아봤습니다. 되풀이되는 질문을 한 번 더 해보겠습니다. 당신은 착한 사람입니까? 지겨움을 느끼셨다면 다른 질문을 추가하겠습니다. 당신이 만약 착한 사람이라면, 착한 사람으로 계속 살겠습니까? 아직 대답이 선뜻 망설인다면 저의 마지막 이야기가 끝나지 않았으니, 조금 더 나중에 대답하셔도 좋습니다.

# Part 4.
# 착함 백과: 맞춤법

## 1. 정체성에 오타가 났다면

어렸을 때 싫어하는 소리가 두 가지 있었습니다.

하나는 '남자가 왜 이렇게 말랐어?'라는 말을 듣는 게 싫었고,
다른 하나는 '아이고 한샘이 착하구나'라는 말을 듣는 게 싫었습니다.

모순이지만, 비난보다 칭찬이 더 듣기 싫었습니다. 해골

처럼 마른 얼굴과 막대기 같은 다리를 극복하기 위해 식단 조절과 운동으로 부끄럽지 않을 정도로 극복할 수 있었지만, 착함은 단순한 노력으로 바꿀 수 있는 것이 아니었기 때문입니다.

착한 성격으로 인해 기쁨보다는 슬픔과 분노를 더 많이 느꼈던 시절이 있었습니다. 나의 착함으로 인해 그저 싫어도 괜찮은 척, 아파도 안 아픈 척, 억울해도 아무렇지 않은 척했습니다. 신기하게도 괜찮은 척하다 보니 참는 것도 단련이 되면서, 참는데 선수가 되고 참는데 도사가 됩니다. 그러곤 원래 이렇게 살면 되냐며 자기합리화에 빠집니다.

착함이 지독해서 나 자신을 180도로 바꾸고 싶다고 생각했습니다. 어쭙잖은 것들로 주눅 들어 했던 내 착한 성격이 그저 싫어서, 착하게 살면 복이 온다고 누가 말했냐며 착함으로 내 인생이 얼마나 마이너스가 됐는지 계산기를 두들겼던 그 시절. 내가 봐도 내가 참 착해서 바보 같다며, 착해서 무시당하는 거고, 착해서 당하는 거라고. 그 마음의 소리조차 착하고 선량한 목소리로 맴돌아 나 자신이 혐오스럽기까지 했었던 저는 제 자존감을 스스로 바닥 끝까지 갉아먹었습니다. 그리고 언젠가 '착한 사람 콤플렉스'를 알게 됩니다. 저것은 나를 위해 만들어진 말 같다며 또 한 번의 소용돌이. 나는 지금껏 착한 사람으로 살아온 것인가 아니면 착한 사람인 척하며 살아온 것인가? 둘 중 어느 것이든 평생 그렇게 살 자신은 있는가? 착함 쇠사슬이 내 몸을 칭칭 동여매어 미래가 어떻게 헝클어질 것인지 감히 짐작조차 못 했습니다.

그때 그 시절, '나'라는 존재는 참 의미 없는 것처럼 느껴졌습니다. 이름에 오타가 난 것처럼 정체성에 오타가 나버려서, 온전히 나로서 살지 못해 인간관계가 참 힘이 들었습니다. 그 지독했던 시절로 다시 돌아간다면 나에게 이렇게 말해주고 싶습니다.

"그렇게 차갑고 방어적인 방법으로 나를 괴롭히지 말라고, 당신의 메마름으로 인해 당신의 정체성은 죽어가고 있다고."

## 2. 나다운 삶을 찾아서

밝은 에너지가 넘치는 착한 신규 교사 A씨.

A씨는 항상 웃음을 띠고 주변 사람들을 편하게 해줍니다. 이런 착한 성격 탓에 학생과 학부모들은 A씨를 가볍게 대합니다. 주위 선생님들은 착해서 고생한다며, 착한 게 문제라고 혀를 찹니다. 지금껏 신규의 패기로 열정만으로 달려온 A씨는 문득 마음이 무거워집니다. 내가 잘못하고 있는 건가?

상대방이 원하는 것은 모조리 맞춰주는 착한 B씨.

사람 좋다며 소개팅이 종종 들어오지만, 노잼이라는 눈빛과 함께 거듭 실패로 끝난다. 허무하다. 무엇이 잘못된 걸까? 유튜브를 보니 당하기만 하는 착한 남자보다 차라리 나쁜 남자가 끌린다던데, 나쁜 남자가 되어야 하는가? 네이버에 '나쁜 남자가 되는 법'을 검색해본다.

앞에 두 사례는 자기 삶에 뭔가 치명적인 결함이 있다는 생각이 문득 들며 회의를 느낀 경우입니다. '나다운 삶' 참 클리셰 범벅인 말입니다. 그런데도 우린 나답게 사는 사람은 생각보다 많지 않습니다. 무엇이 나다움인지 고민해볼 겨를도 없는 빠른 세상입니다. 그저 흘러가는 강물처럼 어떻게든 되겠지 라며 대수롭지 않은 사람들이 많습니다. 하지만 정체성에 대해 고민하지 않으면 힘든 일이 닥칠 때마다 스트레스가 배가 되고 지혜롭게 풀어나가는 힘이 부족해집니다.

착한 사람이 나다운 삶을 살기 위해서는 어떻게 해야 할까요? 어느 날 착한 사람은 정체성을 찾고 싶고 도움을 얻기 위해 서점이나 책을 찾아봅니다. '착함'에 대한 주제를 말하는 책들은 꽤 널려있습니다. 그런데 대부분 (지나친) 착함은 바람직하지 않다며, 착함은 사양한다며, 착한 사람이 되는 것은 포기했다며 착한 사람을 탈출하라고 말합니다. 여기서 저는 묻고 싶습니다. 당신이 그 책들을 독파하면 정말 착한 사람을 탈출할 수 있겠냐고, 다른 성격을 갖고 싶어서 읽고 싶은 게 맞는 건지 맞냐고 말입니다.

저는 조금 다른 말을 하고 싶습니다. 착하면 손해다, 착함은 약점이다, 착하면 바보 같다고 생각하지 않습니다. 사람은 흔히 좋은 것보다 나쁜 것을 잘 기억하기에, 착함은 잘못이 없으며, 착함으로 세상을 살아갈 때 선명한 이면이 존재합니다. 착함으로 내 인생이 마이너스가 되는 순간도 있고 사실 플러스와 곱하기가 되는 순간도 있다는 점을 앞선 사례를 통해 느끼셨을 것입니다. 착함의 장단점을 알고 착함을 인정하게 된다면 '착함의 중립적 가치'를 깨달을 수 있습니다. 오늘도 제게 말합니다.

'오늘도 참 나스러웠다!'

그래서, 당신은 착한 사람인가요?

# 착한 응원

모든 되풀이되는 일에는 내성이 생기는 법입니다. 오늘도 착한 성격 탓에 남들보다 더 힘들었지만, 그래도 괜찮습니다. 적어도 바보 같다고 나를 비난했던 그 시절에 찾아온 원형탈모와 대상포진은 찾아오지 않기 때문입니다. 나라는 사람을 사랑하기 시작하면서 부정을 일으키는 방아쇠가 사라진 느낌입니다.

착함에 대해 아는 척했지만, 사실 저는 누구나 그렇듯 미숙한 사람입니다. 흔한 사람이라고 할까요. 저는 보통 사람들입니다. 회사 내에서 평범하게 일하면서 수많은 의사결정 고민을 하고, 업무 스트레스를 받고, 관계 속에서 갈등과 박탈감, 상처를 수도 없이 겪으며 성장과 변화를 꾀합니다. 거기에 더해 미생 중의 미생은 바로 자존감 낮고 열등감 높은 착한 사람이 아니냐며 그것은 바로 나야 나라며, 착한 사람이 착한 것에 부끄럽다고 비수 같은 진실을 토로하는 나, 씁쓸함을 지겹도록 삼키며 나 자신을 수없이 돌아보곤 했습니다.

이 책에서 저는 착함의 장단점, 그리고 착함의 가치에 대해 써 내려갔습니다. 미처 다 말하지 못한 장단점, 가치들이 있지만, 저의 이야기를 듣고 생각나는 것이 분명 더 있을 거라 생각됩니다. 지금껏 해온 이야기들이 부디 단 한 명이라도 단비 같은 이야기가 되었으면 좋겠습니다. 특히 지나친 착함에 대해 고민하는 사람들, 자기 자아를 잃은 것 같은 사람들, 자기 돌봄과 경계 설정에 어려움을 겪는 사람들, 정서적인 문제와 스트레스를 경험하는 사람들, 자기 성장과 긍정적인 변화를 원하는 사람들에게 도움이 되길 바랍니다.

누구에게도 상처 주지 않으려고 애쓰는
착한 당신을 응원하며.
2023년 11월.

## 참고문헌

듀크 로빈슨, 나는 좋은 사람이기를 포기했다. 메이트 북스, 2018

모기 겐이치로, '착한 사람 콤플렉스'를 벗어나는 뇌의 습관, 행복에너지, 2019

한경은, 당신 생각은 사양합니다, 수오서재, 2019

김진아, 사양합니다, 착한 사람이라는 말, 2022

## 작가소개

**강필중**

자신만의 꿈을 개척해나가려고 하는 아티스트이다. 항상 자신과 충돌하고 여러 선택지 중에서 고민하지만, 그런 고민의 결과가 어떻든 고민을 존중하려고 노력하는 모습이 보인다. 한 걸음 한 걸음 만족해가며 걸어가는 것을 보면 앞으로의 그의 여정이 기대된다.

인스타 @feeeel_book

03

작가 강필중

# 나의 선택이 사랑스럽지 못해서

차례

# 프롤로그

'우리는 실패를 틀린 것으로 간주합니다. 성공한 사람들만 칭찬하고 실패를 한 사람들에게는 쯧쯧쯧이라며 비난만 하기 마련입니다. 이어서 이 경험이 다음에는 성공으로 이끌 거라면서 지금의 경험을 미래의 밑거름으로 취급하고 맙니다. 저는 실패는 성공의 어머니 같은 말을 하는 것이 아닙니다. 제가 궁금한 것은 왜 우리는 실패한 사람에게 위로만 건넬 뿐 감탄하는 사람은 없냐는 것입니다. 실패나 성공이나, 위대해 보이는 사람이나 볼품없어 보이는 사람이나, 모든 경험은 대단합니다. 단지 다른 많은 사람에게 인정을 받냐 받지 않냐의 차이겠죠.

저는 세상의 사람들이 전부 성공으로 향하는 길만을 이야기할 때, 한 명쯤은 성공보다는 그 경험 자체를 들어줘야 한다고 생각했습니다. 가령 연인과 같은 사람입니다.

"죽음이 우릴 갈라놓아도, 당신의 모든 말에, 그게 뭐든, 나두요" - 드라마 '도깨비' 내용 중

드라마 도깨비에서는 사랑을 "그게 뭐든, 나두요"라는 문장으로 표현했습니다. 처음에 이 말을 듣고 이게 무슨 소리인지 의아해했었는데, 시간을 들여 생각해보니 이만큼이나 사랑을 담은 문장이 또 있을까 싶을 만큼 사랑을 듬뿍 느껴지는 표현이었습니다. 언제까지나, 무슨 의견이든 상대방의 의견이라면 신뢰한다는 뜻입니다. "무조건적인 신뢰"에는 상대방에 대한 사랑이 가득 담겨있었습니다.

제 생각에, 이 험하고 성공만 좇는 세상에서 무조건적인 신뢰 같은 무조건적인 위로가 하나쯤은 필요합니다. 비록 여러 실수나 실패들이 좋지 않은 결과들을 가져왔더라도, 그런 경험들을 단순히 성공을 위한 재료라고 말하기보다 그런 경험을 했냐며 감탄하는 위로가 하나쯤은 필요합니다. 그리고 사실, 우리의 모든 경험은 감탄 받을 자격이 있

습니다.

예시를 들자면 2등급의 시험 성적표가 있겠습니다. 고등학교 2학년 학생 한민수(가명)가 수학 2등급을 받아왔다고 합시다. 그의 부모님은 불만족스러운 표정을 지으면서 이런 말을 하시는 겁니다. "아이고~ 실수 잔뜩했구나. 내가 실수하지 말랬지. 검토, 검토 또 검토라니까? 그러게 어제저녁 먹으면서 공부 안 할 때부터 알아봤다." 성공을 위한 사람에게는 더 높은 등급만이 보입니다. 하지만 그에게는 몇 시간의 공부 노력과 며칠의 시험 스트레스가 있었을 것입니다. "노력하면 뭐해. 결과가 이런 꼴인데"라는 부모님의 한 마디는 이 모든 시간을 틀린 시간으로 되돌립니다. 저는 민수의 그 시간을 존중해주는 말이 하나라도 있어야 한다는 의견입니다.

모든 이들의 시간은 존중받아져야 합니다. 지금의 시간뿐만 아니라 과거의 시간까지도. 아무에게도 (심지어 자신에게도) 존중받지 못한 시간이 너무 많습니다. 그런 시간이 아주 섬세하고 배려 깊은 누군가의 입장으로 존중받아졌으면 좋겠습니다.

우리의 시간은 그 시간의 선택으로 이루어져 있습니다.

그러니, 우리는 시간을 존중하기에 앞서 선택을 만족해야 합니다. 그리고 어떤 선택이든 그럴 만한 가치가 있습니다. 독자분들께, 이 책을 읽는 시간 동안에 세심하게 당신의 모든 선택, 시간을 스스로 만족해나갔으면 좋겠습니다. Step 1에서는 전반적인 선택, Step 2에서는 조금 더 틀렸다고 여겨질 수 있는 실수와 잘못에 대해서 다뤘습니다. 부디, 이 시간 만큼이라도 자신에게 무조건적인 사랑을 던질 수 있었으면 합니다.

그러니 수고 많으셨습니다.

어떤 상황이든, 어떤 일을 하든, 어떤 일을 했든, 당신이 누구든. 우리는 많은 선택을 수고해온 사람들입니다. 많이 고생하셨습니다.

당신의 모든 선택이 행복, 또 행복하길 빌겠습니다.

# Step 1.
# 나의 선택을 위로합니다

## 1. 첫사랑 이야기

"인생은 선택의 연속이다", 라는 문장으로 시작했다가 어렵다는 소리를 잔뜩 들을 것 같으니 이런 주제는 어떨까 "나의 첫사랑 이야기".

아주 풋풋하고 아무것도 모르는 대학교 1학년 갓 성인이 된 학생. 들뜬 마음을 가지고 학교에 갔다가 그럴듯한 운명을 맞이했다는, 그런 이야기.

인생에서 이루어지는 선택들과 그 선택이 틀렸을 때의 고통을 아주 잘 설명하고 있는 사례는 사랑과 관련된 이야기인 것 같다. 취업이나, 꿈, 여행 등 선택을 설명하는 사례는 아주 많다는 사실에 동의한다. 사실 인생 전체가 선택이니 말이다. 그런데도 내가 사랑이라는 주제를 꺼낸 이유는 다른 주제들에 비해 가벼운 겉모습을 띠지만 다른 주제들만큼이나 깊고 어두운 선택의 책임을 드러내기 때문에. 그러니 그저 어린아이의 소꿉장난이라고는 생각하지 말아주기를 바란다.

이 이야기는 거의 남고라고 할 수 있는 학교를 나와 여학생과 사귄 기억도 없으려니와 카톡도 제대로 해본 적 없던 한 대학생의 인생 최고의 고민에 관한 이야기다. 사건의 시작은 1 학기 조별 영어 수업에서 시작된다. 나의 고민의 중심이 되는 그분(가명으로 지연이라고 부르겠다)은 어느 뻔한 사랑 이야기에서나 그렇듯 나와 같은 조였다.

사건의 시작은 조원의 사람들과 영어로 자기소개를 하면서 일어났다. 조원들끼리 서로의 이름이나 관심사를 얘기했고 마지막에는 서로의 연락처를 주고받았다. 이후, 교수님은 알아들을 수 없을 속도로 이번 학기의 큰 비중을 차지할 과제에 대해 언급해주셨다. 과제의 내용을 이해할 수 없던 나는 때마침 조원들의 연락처를 가지고 있었고, 그중 지연이라는 사람한테 과제의 내용을 물어보게 되었다. 카톡으로 과제의 내용을 들으며 그 외의 조그마한 잡담을 나눴고. 그렇게 알고만 있는 사이 정도의 관계가 되었다.

알고만 있는 사이에서 조금 더 가까워지는 사건이 하나 있었다. 하루 일정을 마치고 집으로 지하철을 타고 들어가는 길이었다. "카톡"이라는 알람과 지연 씨에게서 심심하다며 연락이 왔다. 때마침 나도 집에 가는 길이었기에 답장들을 해줬고 그렇게 새벽 3시가 되었다.

...

새벽 3시..?

정신을 차려보니 새벽 3시가 돼서 자러 가야 할 시간이라고 했다. 그 당시 시간을 보고 소름끼치게 놀란 내 마음을 이해해줬으면 좋겠다. 집에 갈 때의 시간이 밤 10시였으니 5시간 동안 카톡을 한 것이다. 그것도 지금까지 20년 인생에서 20분 이상 카톡을 해본 적 없던 내가!!

그로부터 며칠 동안, 매일 밤마다 카톡을 이어가는 일이 일어났다. 밖에서는 스마트폰으로 대화를 나눴으며 집에 들어와서는 노트북으로 채팅을 했다. 기프티콘을 주고 받는 일도 생겼고, 이모티콘 선물도 받았다. 무엇보다도, 엄청 즐거웠다!!

그제서야 나는 인생 최고 고민을 던졌다.
"이것은 썸인가"

이것은 혼자 결정할 수 있는 문제가 아니었다. 온갖 연애에 대한 유튜브를 찾아보고 친구들한테 도움을 청했다 (친구들도 나랑 같은 거의 남고인 학교 출신이라 연애 경험이 없긴 했다).

"선물을 주고 받았으니 썸이다", "카톡을 한 것부터가 썸이다", "상대방이 엄청 외향적인 성격이다"

이 생각 때문에 매일 늦잠만 자던 내가 아침 8시에 칼같이 깨고 그 이후로 이 문제만 주구장창 고민하고 있었으니, 지금으로선 다시는 경험할 수 없는 풋풋한 상황이다.

한 번은 친구들끼리 진지하게 다음의 논쟁을 펼쳤다.

"누나한테 반말을 써도 되는가"

수직적이고 남자들만 가득한 고등학교를 보낸 우리들에게 연상한테 반말은 죄악이었다. 이런 결론이 난 이후 지연 씨와의 카톡에서 반말을 쓰다가 높임말을 쓰다가 그 인스타에서 유명하던 반존대까지 썼다. (그때 생각만 나면 창피해서 고개를 들 수가 없다)

이런 과정이 있었으니, 사실상 결과는 뻔했다. "이것은 썸인가"의 정답은 알 수 없었으나 확실한 것은 좋지 않은 끝이 다다르고 있었다는 것이다. 호의가 반복되다가 천천히 연락이 줄어들면 24시간 돌아가던 나의 질문 공장은 우울 공장으로 뒤바뀌게 된다. 그러면 이제 가장 어려운 선택만이 남게되는 것이다.

"먼저 선톡을 보내도 되는가"

보낼까. 아니면 조금 더 참아볼까. 아니면 내일까지?. 다음 주에 보내볼까.

아마 처음이라 더 고민이 많았던 것 같다. 좋아하는 사람과 연락을 이제야 처음으로 경험해본 나로서, 연락이 사그라들 수 있다는 사실까지는 몰랐다. 여러 드라마에서 사랑이란 아름답다고만 배웠지, 이토록 처절하게 무너질 수 있다는 사실은.. 몰랐다. 끝을 알리는 전화에서 "미안하다"라는 말을 들었을 때, 지금까지의 모든 결정이 다 틀렸음을 알았을 때. 그때 그 순수한 아이의 고통이란... 그 누나의 미안하다는 말은 '너의 연락이 부담스러우니 내 뜻대로 연락을 그만하자는' 간곡한 명령이었다

나는 그 뒤로 며칠을 울었다. 그토록 24시간 내내 행복을 느꼈던 만큼, 24시간 내내 눈물을 흘렸으며. 그토록 아침 일찍 일어나서 연락을 기다렸던 만큼, 생각하기가 싫어서 낮에도 밤에도 잠을 택했다. 울면서도 고통이 사그라지지 않았던 어느 날, 나는 그 작은 나의 방 하나마저 무서워서 방구석으로 숨어들어갔고 계속 반복해서 미안하다는 말을 했다. 내 모든 선택이 틀렸음을 깨달은 순간이었고, 그 틀린 선택들을 본 누나한테 너무 미안했다. 반말을 쓰다가, 높임말을 쓰다가, 반존대까지 쓰는 나와 대화한 지연씨. 여자랑 대화할 때 어느 말투를 써야 하는지 몰라서 엄숙하게 말하다가 진지하게 말하다가 장난기 가득한 말을 하던 나..

미안하다는 말은 창피함에서 나온 말이었고 "제발 나를 미워하지 말라는" 처절한 부탁이었다.

그 후로 나에게는 하나의 행동이 생겼다. 울면서 구석에 들어가서 미안하다고 반복하는 일. 나만을 감싸주는 아주 작은 공간에 숨어서 미안하다고 말하면 나의 틀린 결정들이 용서를 받는 것 같아서. '그래 너 미워하지 않을게 다음부터는 정답을 맞혀'라고 위로받는 느낌이었다(정답을 맞히라는 말에 "최고의 최고의 최고의 최고의 정답"을 계속 찾아다니며 고통스러워하던 아이가 탄생했지만 이와 관련된 이야기는 다른 주제에서 언급하겠다)

위로받는 느낌이라고 말하기는 했지만, 울면서 구석에 들어가서 '미안해미안해미안해'라고 애원하는 게 어떻게 위로일까. 그 정도까지 괴로워했다. 나는 그렇게까지 과거의 선택을 다시 하기를 빌었다.

지금 다시 생각해보면, 그토록 최선을 다하던 내가 왜 용서를 부탁해야 하는지 모르겠다. 종일 정답을 생각해보고, 참고자료들도 찾아보고, 역지사지의 마음으로 생각까지 해봤는데. 일어나서부터 잘 때까지, 심지어 꿈에서까지 정답을 고민했는데.

그 선택은 최선의 선택이었다.

다시 그 시절로 돌아가 시간을 계속 반복시킨다 한들, 나와 나의 친구들은 연애와 관련해서 아는 것도 없었고 할 수 있는 건 과거의 했던 선택들뿐이었기 때문에 같은 과거를 반복할 것이다. '썸인가' '높임말을 써야 하나' 등의 질문에게 더 맞는 정답이 있을지도 모르지만, 그 당시의 나에겐 가장 맞는 답이었다.

그러니 과거의 나에게 한 가지 말을 전할 수 있다면, "후회와 자책은 그만했으면". 우리는 모두 그 상황 속에서 선택할 수 있는 선택 중에 가장 최선의 선택을 한다. 최선을 위해 노력한 우리에게 박수를 칠 일이지, 자책은 그만두기를.

## 2. 최선의 작은 거인

그날도 어김없이 스마트폰이 보이자마자 홀린 듯 유튜브를 켰다. 유튜브에는 아주 신기한 것들로만 가득하다. 어떤 사람은 자기만의 스토리를 만들어 드라마를 찍고(스케치 코미디), 또 어떤 사람은 아주 화려한 미술 솜씨를 선보인다. '부럽다'. 그들만의 아이디어를 뽐내고 세상에 알린 사람들. 많은 사람에게 인정을 받는 사람들. 나는 항상 그들이 부럽다. 그들은 자신이 원하는 일을 하면서 매일 큰 돈을 벌어들이지만, 나는 스마트폰만 하면서 돈을 벌고 있지 않다. 이럴 때면 항상 내가 아주 작은 존재로만 여겨진다. '조금 더 열심히 살아볼걸'이라고 속삭이며 유튜브를 손에서 뗄 수 없는 사람. 세상에 외계인이 있다면 나를 납치해서 온갖 실험을 다 한 후에 커다랗고 평범하지 않은 재능을 가진 사람으로 바꿔줬으면.

그러던 중 발견한 내용은 나의 마음을 울렸다. 작은 거인에 관한 내용이었는데 정확한 문장까지는 떠오르지 않아 상상해서 적어보겠다.

"당신은 과거의 고난들을 이겨낸 사람입니다. 많은 고민을 하고 나름의 결론을 내린 사람입니다. 한때는 꿈을 찾아 모험을 떠났고, 또 한때는 처절하게 고통스러워했습니다. 우울할 땐 우울하지 않기 위해 노력했고, 즐거울 땐 최대한 즐기려고 노력했습니다. 당신은 그런 대단한 사람입니다.

아무리 다른 사람에 비해 작아보인들 어떻습니까, 그 발걸음이 당신이 거인임을 보여주고 있는데 말입니다. 당신은 작은 거인입니다. 아주 멋진 작은 거인이요"

이 문장을 보고 과거를 돌아보니 카타르시스를 느꼈다. 지금 내 위치는 다소 하찮아 보일 수 있어도 나는 매 순간 가장 최선을 다해 살아왔으니까. 스마트폰을 하며 유튜브만 보던 시절에도 그 시절만의 사정이 있었다. 중독성이 컸다든지 삶의 의욕이 없었다든지 하는 사정 말이다. 또 어떤 때는 나의 온 힘을 다해 노력했을 때가 있었다. 하루 12시간씩 몇 달을 계속 독서실에서 공부하던 학생 시절과 우울하고 외로워서 침대에 누워서 온갖 열등감에 사로잡히던 시절이 있었다. 그런 시절은 다 나에게 녹아 스며들었다. 그렇게 노력했던 과거가 나를 위로해줬다. 계속 볼품없어 보이던 내가 아주 살짝은 멋져 보이던 때였다.

### 3. 어떤 선택이 올바를까

하지만 최선이라는 말은 어디까지나 과거에 해당하는 문제다. 다음으로 우리가 알아야 하는 것은 어떤 결정이 정답인지에 관해서 일 것이다. '어떤게 가장 최고의 최고의 최고의 최고의 정답인가'. 지연 씨와의 에피소드에서 언급된 내용인데 나는 어느 순간부터 가장 최고의 정답만을 찾아다녔다. 나에게 선택지들이 나타날 때마다, 계속해서 질문했다.

'지금 이 순간에 할 수 있는 가장 완벽한 일', '이 모든 고통을 지워낼 수 있는 가장 간단한 일', '나의 꿈', '나의 태도', '모습', '내 감정은 적절한가, 지금 너무 우울하지는 않은가', '조금 더 소극적이어야 하는가, 아니면 더 적극적이어야 하는가', '내가 당신에게 내 배려를 허락해도 되는가', '나는 어떻게 해야 행복해질 수 있는가'

나는 스스로 더 완벽해지기 위해 계속 질문했고, 대부분 질문에 모르겠다는 애매한 대답만을 남겼다. 무교인 나는 믿지 않는 신한테도 물어봤고 미래의 나에게 질문을 떠넘기기도 했으며 친구와 술자리를 가지며 이야기도 해봤는데 아쉽게도 언제나 그 질문에 결론을 내려야 하는 사람은 나였다.

이 당시의 나는 이것을 피아노의 변주곡으로 비유했었다. '지금 이 순간에 가장 최고의 행동'이나 ''이 우울한 알 수 없는 감정의 완벽한 이유' 같은 질문들을 스스로에게 물었고 항상 모르겠다는 답변, 그 후로 다시 한번 비슷한 질문에 대해서 생각하는 것이 마치 피아노의 변주곡 같았다. 모차르트의 작은 별 변주곡은 우리가 어린 시절에 한 번쯤은 들어봤을 아기자기한 작은 별을 시작으로 각종 색다른 음으로 변화한다. 연주가 진행되면 진행될수록 점점 더 복잡하고 가득 찬 연주가 진행되는데 그런데도 가장 처음의 질문과 유사하다는 점이 꼭 나의 질문들 같았다.

"2022-01-12

조용한 방 안에서 피아노 협주곡 노랫소리를 틀어놔. 아주 조용하게 우렁찬 목소리로 노래를 따라가. 도돌이표 속에서 같은 음들을 아주 다르게 변주해가며 다시금 선택지를 골라. 인생의 시뮬레이션에서 나는 행복과 슬픔과 우울을 마주한 채 다시금 도돌이표를 걸어가."

여러 질문을 통해 매일 생각하는 과정에서 나는 생각의 성장을 느끼기는 했지만, 답이 없는 문제를 푸는 게 그리 행복한 일은 아니었다. '인간의 착함'과 같은 문제를 푸는 것도 충분히 머리 아팠는데, 친구와 싸운 후 '나는 악당이 아닐까' 같은 자책이 함유된 질문들은 괴롭기까지 했다. 남들이 말하는 "왜 이렇게 피곤하게 살아?"의 당사자가 나였다.

나는 결국에 이런 질문들에서 도망쳤다. 예전부터 머릿속 생각을 껐다 켤 수 있는 스위치가 있었으면 하는 바람이 있었는데, 여러 고민 끝에 그런 스위치 찾았다. 그것은 노래였다. 길을 걸을 때, 버즈로 두 귀를 꽉 막고 노래를 크게 들으니 나의 잡다한 생각들이 끼어들 틈이 없었다. 끼어든다고 하더라도 그런 생각들은 노래에 대한 평가라던가 아주 단순한 생각들일 뿐 나를 계속 괴롭히던 질문들은 이제 없었다.

기존의 MBTI가 ENFP였는데 시간이 지난 후 ISFP로 변했다. E에서 I로 변한 것은 아마 다른 요인들이 컸겠지만, N에서 S로 변한 것은 노래가 90%의 요인을 차지했다고 생각한다. N의 사람들은 깊은 의미, 패턴에 관심이 있고 S의 사람들은 감각과 사실에 관심이 있다고 한다. 크게 들리는 노래가 깊은 의미, 패턴에 관심을 끄게 했고 감각이나 사실에 집중하게 만든 것이다. 나의 성향까지 바꿀 정도로 노래는 나에게 그 당시 터닝포인트였다. 나는 그 이후로 나의 고통스러운 질문들을 감출 수 있었다.

나의 선택 또한 바뀌었다. '어떤게 가장 최고의 최고의 최고의 최고의 정답인가'라는 질문은 이제 한두 번 빼고는 보이지 않았다. 선택으로 고통스러워하지 않았으며, 그저 주변인 말에 이끌리거나 내 눈에 보이는 것을 선택했다. 예시를 들자면, 노래를 듣기 전의 내가 음식을 먹을 때 가장 합리적이고 가성비 있는 음식을 찾아다녔다면 그때부터의 나는 그 순간에 보이는 음식점으로 들어갔었다. 그 선택이 최고의 결과를 가져와 줬는지는 중요하지 않았다. 더 이상 나에게 선택으로 인한 고통은 크지 않았다.

질문들이 (누구는 피곤하게 산다고 말하는 그 생각들) 다시 언급된 것은 생각을 멈추고 1년 반이 지난 후였다. 나는 그 당시에 알게 된 친구와 이야기를 하고 있었다. 그는 풍요로운 삶을 위해 책을 읽고 생각을 해야 성장을 한다고 믿는 친구였다.

"그런 생각들 할 땐, 당연히 책을 읽어야지. 혼자서 같은 생각 계속하면 답이 어떻게 나와. 계속 새로운 생각도 주입해야지"

그 친구에게 나도 예전에는 여러 고민을 한 적이 있었다고, 하지만 그 당시에 괴로웠다고 토로하니 이런 답변이 돌아왔다. 내가 너무 생각 없이 하루를 사는 것은 아닌지 성찰해보는 시간도 되었고, 예전의 생각이 많던 그 시절도 그리워졌다. 내가 왜 그때 책을 빠뜨리고 있었을까. 그 당시 문학책이나 에세이만 읽었었는데, 그 친구와 말을 해보니 자기계발서나 철학에 관한 책들도 읽어볼걸 하는 아쉬움도 생겼다.

그 후로 조금씩 책에 대한 관심을 가지다가 최근 몇 달 전부터 인스타그램(@feeeel_book)을 시작하며 책을 읽기 시작했다. 20살 때 한창 나랑 친하다가 1년 정도 안 보고 지냈던 많은 생각에게도  친해지자고 꼬셨다.

아니나 다를까, 생각을 맞이하게 된 이후로 다시 질문들이 나타났다. 어떤 것이 더 올바른지를 묻는 기존과 비슷한 질문들이 다시 나를 괴롭힐 준비를 했다. 하지만, 책은 예상보다 더 유용했다. 마치 무인도에 떨어졌을 때 혼자보다 친구랑 있을 때 덜 불안한 것처럼, 질문에 대한 고민을 책이 같이 해주고 있다고 생각하니까 고통이 덜했다. 또한, 책은 질문에 대한 효과적이고 창의적인 대답들을 알고 있었다.

'나는 왜 이리 불행하기만 하지. 꿈도 없고 매일 모든걸 귀찮아하기 마련이야.'

인스타브레인은 말한다. '혹시 말이야. 스마트폰을 너무 많이 해서 그런거 아니야? 동의한다면, 오늘 하루 일정 보낼 때 폰을 집에 두고 나가볼래?'

가령 인스타브레인과 같은 식이다. 인스타브레인은 "스마트폰을 조심하자"라는 의견을 가진 책이었는데, 이 책 덕분에 '세상에 재밌는게 없다'는 문제를 조금 더 수월하게 고민할 수 있었다. 아마 나 혼자 생각했더라면, 재미있는 게 없으니 게임이나 드라마를 하자는 결론이 나왔을 것이다. 하지만, 마침 그때 인스타브레인 책을 읽고 있어서, 스마트폰을 집에 두고 밖에서 쉬다 오자는 결론을 내렸다. 덕분에 아주 새로운 경험을 했고 권태에서 도망칠 수 있었다. 이처럼 책은 상상하지도 못한 방법을 제시해서 우리에게 새로운 경험과 선택지를 제공한다. 그 선택지가 언제나 정답은 아니겠지만, 선택지가 늘어났다는 사실 하나만으로 답 맞추기에 큰 도움이 되었다.

그러던 어느 순간 나는 다시 또 중요한 질문을 맞이했다.

그래서, 어떤 선택이 정답인가라는 질문. '최고의 최고의 정답'을 계속 고민하는 게 맞을까, 직관적인 선택이 최고일까, 책의 의견을 따라해볼까...

분명 최고의 최고의 정답을 계속 고민할 때는 하루하루가 우울했다. 항상 내가 틀린 답만을 말하는 것 같았지만, 정답을 찾을 수가 없었다. 직관적인 선택을 할 때는 괴로움보다는 편안함이 많았다. 딱히 선택 때문에 괴로워하는 일도 없었다. 하지만, 지금 생각해보면 나는 그동안 타의로 숨을 쉬었다. 내가 결정한 일은 많이 없으며 늘 이끌려 다녔다. 편하긴 했지만, 그것은 나의 삶이 아니었다. 정답을 알기 위해 여러 책을 읽었다. 그 중, 내 마음을 건드리던 내용은 "나를 알아야 한다."라는 것. 프리워커스, 시크릿, 기록의 쓸모 등 여러 책에서 배운 내용이었는데, 그런 책들은 "더 늦기 전에 나의 색을 온전히 뿜어낼 수 있는 작업들"(프리워커스, 모빌스 그룹, 305p)을 하라고 했다.

나중에 내 의견은 바뀔 수 있겠지만, 지금 내가 내린 결론은 "옳은 선택이란 나를 알아가는 선택"이라는 것이다. 우리는 선택을 통해서 우리를 완성해 나간다. 그렇기에, 우리는 선택 속에서 우리를 알아가야 한다는 것. 최대한 다양한 경험을 하고, 다양한 시도를 해서 나를 알아가는 과정이 되는 선택을 해야 한다.

나의 북스타그램 @feeeel_book은 사실 친구랑 같이 시작한 계정이다. 친구는 다른 계정으로 맞팔을 해서 진행 중인데, 각자 인스타그램 계정을 운영하는 사람이다 보니 관련해서 이야기가 나왔다. 갑자기 콘텐츠 하나가 흥행해서 1만 명이 팔로워로 생기면 어떨 것 같냐는 이야기였다. 서로 그 미래를 상상하더니 기겁을 했다. 기뻐서가 아니라 부담스러워서. 그 친구는 자신의 독서 기록이 1만 명한테 보일 거라고 생각하니까 부담스러워서 더 이상 콘텐츠를 올리지 못할 것 같다고 했고 그것은 나도 마찬가지였다. 하룻밤 사이에 팔로워가 급격히 늘어나면 무서워질 것 같다. 나의 행동 하나하나가 조심스러워질 것이다.

만약 내가 최고의 정답을 알아낼 수 있다고 한들, 그건 나를 알아낸 이후여야 할 것이다. 주식을 성공해서 10억을 모은들, 유튜버에 성공해서 10만명의 팬을 얻는다고 한들, 준비되지 않은 상태에서는 무너질 가능성이 있다. 책 '부자의 그릇'에서도 나온 이 개념은 우리가 내용물보다 그릇을 더 키워야 함을 알려준다. 그래서 나는 이 사실을 알고 나서부터는 성과보다는 나를 알아가고 나를 키우려고 노력한다. 북스타그램도 팔로워를 생각하기보다, 새로운 형식의 게시글을 올려보거나 릴스를 처음으로 만들어보는 등 여러 시도를 했다. 최대한 같은 형식에 안주하지 않고, 가성비를 생각하지 않기. 나는 팔로워보다 나의 경험을 중요하게 생각했다. 팔로워는 실력을 쌓은 후 나중에 본격적으로 시도해도 될 일이다.

“저는 감각이 타고나는 게 아니라고 생각해요. 많이 사보고 해봐야 생기는 거 같아요. 많이 사보면 내 취향인지 아닌지에 대한 데이터가 쌓이거든요. 하나 사보고 취향이라고 얘기하긴 어려워요.” 위의 책 301p

성과가 너무 탐스러워 보이더라도, 나의 경험에 집중하기. 최대한 낯선 경험을 하고, 그런 경험들은 나의 경험으로 만들기. 그리하여 내가 좋아하는 것들, 내가 싫어하는 것들을 알기. 진정한 선택을 잊지 않는 내가 되었으면 좋겠다.

그렇게 성장하면 성과도 따라오지 않을까. 책 '미움받을 용기'에서 인생은 등산이라고, 정상을 향하여 올라가기는 하지만 정상에 도착하는 것보다 등산하는 과정이 더 의미 있다고 말하던 게 이런 뜻인가 싶다.

# Step 2.
# 잘못된 시간들을 위로합니다

## 1. 우리의 실수는 생각보다 아프다

최대한 매일 만족하려고 살아봐도, 후회되는 과거는 늘 있기 마련이다. 몇 개는 아직 미성숙한 아이였기 때문이고, 또 몇 개는 실수 때문이다. 최선의 노력을 했지만, 우리는 다시 생각하면 이상하다 싶을 정도로 잘못 고르는 선택지가 몇 개 있었다. 다시 돌아간다면 절대로 그러지 않을 거 같은데, 우리의 과거는 그 행동을 했다. 실수의 안타까운 점은 우리가 더 옳은 선택지를 알고 있음에도 이상한 선택지를 고른다는 것이다.

그런 느낌으로 나는 보이스피싱을 당했다. 얼마인지는 비밀이지만, 그 나이의 나에게는 상당히 큰돈이었다. 몇 개월 동안 너무 출근하기 싫었던 수학 학원 조교를 하며 번 돈이었다. 노동의 힘듦도 알고 있었고, 돈의 중요성도 당연히 모를 리가 없으니 보이스피싱의 아픔이 더 컸다. 무엇보다도 21살의 나에게 나의 돈이 사라지는 경험은 그리 좋은 경험은 아니었다. 그 당시 상황은 생각만 해도 가슴이 철렁이는 아직 진정되지 않은 기억이지만, 다시 생각해보자면 아주 흔한 검찰 사기였다. 내가 보험 관련 사기에 연루되었으니 어쩌고저쩌고.

실수의 안타까운 점은 우리가 이상한 선택지를 고른다는 것이라고 했었다. 상황을 알아채고 난 후, 나는 아주 크게 절망했다. 너무나도 이상한 선택지였고, 나는 홀린 듯 이상한 선택을 했다. 사실 변명할 거리가 있기는 하지만, 그런 변명의 요소가 있더라도 너무나 이상한 선택이다. 나는 순간 이게 현실인지 의심이 되었지만, 의심할 시간도 없이 나는 경찰에 신고해야 했다. 경찰 자동차가 오고 나서야 나는 상황이 점점 실감 났다.

나는 돈을 잃었다.

여러 가지 어지러운 상황 속에서 나는 경찰 아저씨들에게 찾기 힘들 거라는 말을 들었다. 그 후로, 꼭 찾겠다는 경찰 아저씨의 다짐에 안심이 되기도 했지만, 여전히 나의 비참함은 사라지지 않았다. 나는 너무 비참해서 정신을 차릴 수가 없었다. 아니, 정신을 차려야만 했다. 내가 어떤 상황에 있든 나의 돈은 돌아오지 않으니, 후회할 시간도 없었다. 또, 나 자신을 비참하다고 말해서는 안 되었다. 과거에 갇히지 않도록 주의하고 미래를 계획해야만 했다. 낮에 일어난 사건이었는데, 각오를 다지니까 밤이 되어 있었다. 그리고 나는 이 각오를 잊지 않도록 앞으로 지킬 7계명을 세웠다.

1. 12시 취침, 6시 기상
2. 하루 전 다음 날 계획 세우고 잠들기
3. 1일 책 1시간
4. 1일 운동 1시간
5. 토익 공부 하기
6. 1학기 내에 과외를 하든 알바를 하든 해서 원금 되찾기
7. 일기 쓰기

평소에 생각하던 생산적인 일들을 줄 세워 놓고, 돈을 잃

은 만큼 일해서 되찾아야겠다고 각오했다. 6번 항목을 달성하지 않는 한 계속해서 다른 것들을 하는 것으로. 내가 실수해서 일어난 일이니까 내가 책임져야겠다고. 이 모든 계명을 감독해줄 사람을 두고 실천하면 되겠다. 그리하니, 다행히도 마음이 조금은 후련해졌다. 나에게 오고 말았던 최악의 순간이 조금은 나아지는 것 같았다. 내 마음속 혼란스러움의 원인을 찾고 그것을 해결할 계획을 세운 다음 계획이 끝난 미래를 생각하는 게 혼란스러움을 완화하는 데 도움이 되었다.

그리고 집에 들어가서 이 사실을 말하니, 나는 엄청나게 혼났다. 지금 생각해보면 대뜸 이런 사실을 듣는 부모님 관점에서 다소 스트레스를 받았을 것 같긴 하다. 하지만 이 모든 것이 나의 돈이고 나의 경험이고 나의 책임이고 나의 생각이었는데, 왜 그렇게 나에게 더 큰 책임을 물었어야 했나 싶다. 내가 원하던 것은 사고를 겪고 나서 내가 고민하던 생각들을 들어주고 7계명의 감독이 되어주는 것이었는데, 부모님은 어떻게 그런 일을 겪을 수 있냐며 나를 탓했다. 아르바이트를 다시 하겠다는 말에 학생이니 공부나 하라는 말이 따라오기도 했다.

이상한 선택은 악플을 달기가 너무 좋다. 사기를 당한다거나, 무언가를 잃어버린다거나, 늦잠을 자서 중요한 약속을 늦는다거나 하는 실수들은 전부 다른 사람이 보기에는 너무 한심한 일이다. 비난하기가 이렇게나 좋을 수가 없다. 하지만, 실수를 당하는 사람은 이미 그 실수 때문에 흐트러진 후다. 자신이 한 어리석은 행동을 후회할 겨를도 없이, 몰려오는 책임을 감당해야 하고 왜 나한테 이런 일이 일어났을까 탓해야 한다. 실수의 경우에는, 단순한 사고와 달리 잘못을 탓하기에 만만한 상대가 나인 경우가 많아서 자책으로 이어진다. 즉, 악플이 달리는 순간에 주인공은 이미 자신을 향한 몰아치는 피해와 책임을 감당하고 자책을 몇 번 반복한 후라는 것이다. 겨우 괜찮아진 줄 알았는데, 주변 사람들의 악플에 시달려야 하는 순간이란.

그리하여 우리의 실수는 생각보다 아프다.

실수라는 선택을 미워하는 것을 경계해야겠다. 그 선택 자체도 충분히 괴로울 텐데 악플이 달리면 얼마나 더 힘들까. 그런 실수들을 담담히 견뎌온 시간을 존중할 뿐.

## 2. 두 번 다시 실수해도 될 것

"처음에는 몰라서 실수할 수 있는데, 두 번째부터는 알고 있으니까 절대 실수하면 안 된다. 어째서 잘못을 반복하는 거냐." 나는 실수를 반복하는 것은 바보짓이라고 배웠다. 올바른 사람이라면 실수는 한 번으로 족해야 한다고 말이다. 하지만 그런 말을 하는 사람들마저 몇 번이고 길을 잃고, 몇 번이고 반복해서 무언가를 잊어버렸다. 실수가 의도적으로 우리가 조절할 수 있는 사항이라면 두 번부터는 용서가 되지 않을 수 있겠지만, 실수는 어쩌다 보니 일어난다.

고등학교 시절, 학원 선생님들이 좋아하시는 명언 하나가 있다. "실수도 실력이다." 보통 수학이라는 과목에서 더 많이 쓰이는 이 말은 학생들이 복잡한 계산은 잘해놓고 1+5 같은 쉬운 계산을 틀릴 때 쓰이곤 한다. 나도 한때는 이 말이 맞는다고 생각해서, 실수를 통제해보려고 노력한 적이 있다. 1+5라는 기초적인 문제를 몇 페이지씩 풀어보기도 하고 검토를 하는 여러 가지 방법을 연구해봤다. 그리고 그 결과는 모호했다. 기초적인 문제를 많이 풀어보는 건 도움이 되지 않았지만, 검토하는 여러 가지 방법은 나름 탁

월했다. 어느 상황이든 다시 생각하는 건 실수를 만회할 수 있는 최고의 수단이었다. 하지만 그런데도 모호하다는 결론을 내린 것은 실수가 사라지지 않았기 때문이다. 검토를 통해 1, 2문제를 더 맞힐 수 있기는 했지만, 검토에 들어가는 시간과 노력을 생각해보면 상당히 비효율적이었다. 또, 검토한다고 해서 실수가 큰 폭으로 줄어드는 것도 아니었다. 평균적으로 2점 정도만 오를 뿐이었다.

기초적인 연산 때문에 실수를 한 적이 셀 수가 없을 정도로 많다. 이런 실수는 누구에게나 공평하며, 반복해도 막을 수 없다. 이 이야기를 들으면 당연한 이야기를 한다고 생각할 것이다. 하지만, 이런 아주 당연한 사실 뒤편에서 "두 번 다시 실수하지 말 것"이라거나 "실수는 실력이다" 등의 말이 나온다. 실수에서 나온 피해를 탓할 사람을 찾느라 이런 말이 나왔다고 조심스럽게 추측해본다. 그러니까 학원 선생님 입장에서 학생이 문제를 틀렸을 때, 이 문제의 탓을 학생에게 돌려야 개선의 여지가 보이고 학원 잘못이 아닌 것처럼 보이기 때문이다. 마찬가지로 우리는 우산을 잃어버렸을 때, 손해를 보게 된 원인을 사람에게서 찾는다. 그 점이 "내가 주의 깊게 살펴보지 않아서 잃어버린 거잖아"라며 자책으로 이어진다.

나의 과감한 추측은 이렇다. 단순히 재해와도 같은 실수를 우리는 누군가의 잘못으로 여긴다는 것. 다시는 하지 말아야겠다고 각오한다면 충분히 막을 수 있는 잘못으로 여긴다는 것. 실수의 책임자가 생기고, 다음부터는 이런 일이 없다고 하면 더 안심이 생기기 때문일 것 같다. 하지만, 실수는 누군가의 부주의에서 오는 잘못이 아니다. 오히려 주의하지 않았기에 오는 사고이며, 재해는 아무의 탓도 아니다. 두 번 다시 실수해도 될 것. 마음을 편히 가졌으면 한다. 다른 사람의 실수에도 관대해졌으면 한다. 의도치 않게 어쩔 수 없이 상황이 벌어졌을 때, 우리는 누군가를 탓하는 게 아니라 그 상황 자체를 해결해야 한다.

두 번 다시 실수해도 될 것이라는 말은, 우리가 실수를 조금은 편히 여겼으면 하는 마음이다. 두 번째 실수부터는 어떻게든 해결하겠다고 힘들어하지 않았으면 좋겠다. 약간의 방법은 당연히 이롭겠지만, 너무 신경 쓰다 보면 스트레스 받기 마련이니까.

"약간의 두려움은 건강한 것이 될 수 있지만 실수를 할까 봐 두려워하며 살아서는 안된다. 교훈을 배울 수 있다면 실수는 좋은 것이다." - 책 '부자 아빠 가난한 아빠' 내용 중

## 3. 용서를 빌어도 누구에게도 용서받지 못한다면

"All villains
왜 아닐 거라 생각해
아주 못돼먹은 작은 악마들이 우린 걸 몰라"

-노래 '빌런(스텔라 장)' 가사 중

빌런이라는 노래를 자주 들었다. 재미있는 멜로디도 좋고, 모두가 악당이라는 가사는 더 좋았다. 모든 사람이 악당이라는 사실을 들을 때면 나름의 위안이 되었다. 아니, 누군가를 상처입혀서 생긴 고통은 영원히 남아서 절대로 나아지지 않는다. 그저 막무가내로 다른 이들을 상처입힌 나는 조금이나마 죄책감을 덜어내고 싶어서 어떤 짓이든 하는 것이다. 모두가 악당이라고 생각하거나, 그 당시 나는 너무 어렸다고 위로하거나, 한 번만 넘어가 달라고 용서를 비는 등.

내 기억이 허락하는 초등학교 4학년 이후로 내가 누군가에게 피해를 입힌 사건은 기억 속에서 뚜렷하게 각인되어 있다. 그 많은 사건은 떠올리기만 해도 너무 후회되고 미안하다. 아무리 실수였더라도 나의 행위는 내가 책임을 져야 한다. 고의였다면 더더욱 나는 그 시간을 각인해야 한다.

가족이랑 싸우게 된 날은 내 편이 친구밖에 없다며 친구에게 크게 의지했었다. 그 친한 친구랑 마저 싸우게 된 날은 내 편이 한 명도 없다며 크게 불안해했었다. 누구에게도 털어놓지 못하고 나 혼자 가져가는 슬픔이란 그리 가볍지 않았다. 그래서 그날만큼은 내가 세상에서 최고로 힘든 사람인 양 서럽게 울었다. 최고로 힘든 사람일 수 있었다. 그러나 잘못을 저지른 날이면 그 자격마저도 박탈이 된다. 누구에게도 털어놓지 못하는 것은 물론이고 그 슬픔은 나 자신조차도 위로해줄 수 없었다. 주변 모두가 내 편이 아닌 거 같은데 나 자신조차 나를 욕하고 있을 때. 나는 지금까지 내 편이 없는 게 가장 힘든 일인 줄 알았는데, 그보다 더 내 편이 없는 순간이 있었다.

내가 다른 누군가를 피해 입힌 상황에서, 세상은 흑백이 된다. 그 아름답던 세상은 무너지고 그저 어떡해야 하지 하는 마음만이 남는다. 사회적 평판을 잠깐 신경 쓰다가 '아, 내가 지금 이 상황에 왜 이런걸 생각하고 있지'하는 생각으로 죄책감만 더 쌓여가고, 밝은 달마저 '달이 너무 밝아서 미안하다'라는 생각으로 우울의 매개체가 된다. 그런 우울. 하지만, 그 우울을 누군가에 털어놓으면 당연히 상대는 나를 욕한다. 용서를 받아야 하지만, 누구에게도 용서받지 못한다면. 세상의 모두가 나를 비난할 것만 같아 용서를 구하는 것조차 못한다면. 나는 세상에 혼자서 갇히게 된다. 시간은 돌릴 수가 없기에 후회하기에는 이미 늦었으니까.

"나 목소리 엄청 좋은 것 같아"
"그냥 흔한 목소리 같은데.."
"뭐래~ 그럴 때는 맞장구 쳐주는 거야. 아무리 틀린 말이라도 옳다고 해주기로 약속"

나는 그래서 무조건적인 신뢰를 좋아한다. 주변인의 틀린 점을 정확히 꼬집어 고칠 수 있게 도와주는 사람도 물론 필요하지만, 무조건적인 신뢰를 하는 사람도 꼭 필요하다. (그리고 사적인 의견으로 무조건적인 신뢰가 더 낭만있다) 그러니 나는 자신이나 아끼는 사람들의 의견을 최대한 신뢰하기로 다짐했다. 모든 말에, 그게 뭐든.

우리는 주변 다른 사람들에게 늘 조언을 받고 산다. 무엇이 더 옳다고, 어떤 길을 가라고, 당신은 옳지 않다고 말이다. 그런 상황에서 나 하나쯤은 당신을 무조건적으로 믿어도 괜찮지 않을까.

'용서를 빌어도 누구에게도 용서받지 못한다면'이라는 구절은 사실 유튜브를 둘러보다가 우연히 듣게 된 노래의 가사였다. 강지라는 유튜버가 커버한 "그것이 당신의 행복이라 할지라도"인데 처음 듣고 울게 된 이후로, 우울할 때마다 이 노래를 들으며 침대 위에서 깊게 울었다. '용서를 빌어도 누구에게도 용서받지 못한다면'. '내겐 말로 표현하지 않아도 난 괜찮아"

만약 이 순간의 누군가가 죄책감에 시달리고 있다면.

진심으로, 그대의 삶이 행복해지길 바랍니다.

2년 전, 저는 종종 고통스럽고 어두운 하루를 보냈습니다. 편히 쉬고 싶어 침대에 붙어있었지만 알 수 없는 허전함 때문에 불편함에서 해방될 수가 없었고 이불을 덮어도 따스한 온기를 느낄 수가 없어 매일 외로워했습니다. 새로운 사람을 만난 날 밤은 그 사람에게 실수한 게 없을까 병적으로 찾아 후회했고, 그 사람과 웃으며 헤어졌지만 속으로 나를 미워할 거라고 의심했습니다. 또 어느 날은 친한 친구가 생일이었는데, 그 친구가 생일 선물을 많이 받는 것을 보고 열등감으로 온종일 괴로워한 적도 있습니다. 그런 날들이면 이 고통을 어떻게든 방출하고 싶어서 홀린 듯 아무 의미 없이 고통만 보이는 글들을 작성했습니다.

"멈춰버린 시간 속에서 팔을 허우적대다가 닿지 않는 감촉을 나는 기억 못한다. 푹 잠긴 물 속에 갇혀 살아남으려고 허둥되던 두 팔을 나는 기억하지 못한다. 다만, 지금이 그 순간일까.

울어라. 눈물 한 방울에 너의 슬픔을 가득 담고. 벅차흘러나온 고작 한 방울. 그 한 방울에 너의 울분을 가득 담고 아주 죽여버리고 싶을 만큼 빨갛게. 가볍게 새어나온 투쟁심을 꼭꼭 압축해 하나의 방울로 만들어 눈에서 내려라."

그렇게 살던 어느 날. 현재의 자신이 너무 불쌍하다는 생각이 들었습니다. 고통도 고통이지만, 하루가 지나면 '어제'가 되고 또 언젠가는 '과거'가 되어 아무런 위로도 받지 못한 채 그저 우울했던 많은 날 중 하나가 되어버릴 테니까요. 그러다가 조금 더 시간이 지나면, 자신조차 그 우울의 시간을 잊어버려 홀로 과거에 남을 것 같았습니다. 버림받는 거죠. 그 생각에 미치자 저도 모르게 울적해져서 또 한바탕 홀로 울고 말았습니다. 그리고 약속하죠. 언젠가 나에게 행복이 찾아왔을 때, 조금은 늦었을 수 있어도 나의 과거를 위로하자고. 그리고, 모든 감정을 존중하자고. 여러 생각이 쌓여 완전히 다른 성격을 가진 미래의 '나'가 되어 있어도 나의 모든 시간을 잃어버리지는 말자고 말입니다.

그리고 저는 그러한 가치를 담은 책을 만들고 싶었습니다. 짐작하신 분들도 있으시겠지만, 이 책은 과거의 모든 시간, 모든 선택을 존중하고자 만들어진 책입니다. 1장에서는 과거의 모든 선택을 존중합니다. 항상 '최선의 선택'을 하는 과거의 우리였습니다. 선택 때문에 나타난 고통의 시간도 있었고 아차 싶었던 실수들도 있었는데, 그러한 선택의 결과를 처절히 견뎌내어 우리가 있을 수 있었습니다. 그리하여 언급되는 '최선의 작은 거인'은 우리의 과거에게 "수고했다"라는 말을 던지고 그 수고를 견뎌온 현재의 우리한테 던지는 칭호입니다. 그리고 우리가 미래를 준비할 수 있도록, 선택의 기준을 세웁니다. 그 선택의 기준 "나를 알아가는 것" 그것은 우리가 우리를 최대한 존중하면서 살아가는 기준입니다.

2장에서는 여러 과거 중 "후회되는 일'들을 더 모아서 묶어보았습니다. 나쁜 행동을 한 그날의 시간을 지금까지 자책해왔다면, 자신에게조차 한 번도 위로받지 못했을 그 시간을 존중했으면 했습니다. 엄청나게 나쁜 짓을 한 날조차 책을 읽는 시간 만큼은 꼼꼼히 존중하는 시간을 가졌으면 하는 바람입니다.

당신의 모든 시간은 존중받을 가치가 있습니다. 그 시간을 이겨내고자 얼마나 고생이 많으셨나요. 언제까지 안 끝날 것 같은 고통도 있었을 테고, 아무에게도 위로받지 못하는 그런 시간도 있었을 거라고 생각합니다. 저의 글을 읽는 시간 동안 당신과 당신의 모든 시간이 위로받고 존중받았으면 좋겠습니다. 사실 그런 이유가 아니더라도 저는 당신이 행복했으면 좋겠습니다. 충분히 고민하고, 처절히 인내하고, 최선을 다해 살아온 인생이실 텐데 항상 만족스러운 시간 뿐이었으면 좋겠습니다. 다시 한 번 말하지만.

진심으로, 그대의 모든 시간이 행복해지길 바랍니다.

## 작가소개

**마재형아**

사람을 좋아하는 이.

여전히 세상은 따뜻한 사람들이 이끌어가고 있음을 그 따뜻함이 당신에게 손 내밀고 있음을 말하며 함께 고민하며 성장하기를 원하는 작가.

동네형, 동네삼촌처럼 당신 곁에 있는 작가.

블로그 https://blog.naver.com/acarelessjm

인스타 @m.j.bro_books

04

작가 마재형아

# 당신의 따뜻함에 닿기를

차례

옛말에 '지렁이도 밟으면 꿈틀거린다'라는 말이 있다.

지렁이는 잘린 부분이 회복되거나 재생할 수 있는 능력을 가지고 있다. 그리고 지렁이는 비 오는 날 유난히 많이 보인다. 피부로 호흡을 해야 하는데 흙이 젖으면 호흡이 어려워져 밖으로 나오는 것이라고 한다.

'살기 위해서, 숨을 쉬어야 하니까.'

나는 속상했다. 살아보려고, 숨 좀 쉬어보겠다고 흙 밖으로 나오는 지렁이들은 또 다른 죽음에 노출된다. 길가에 있는 수로에 빠져죽거나, 사람들에게 밟혀 죽거나 아이러니 하지 않은가? 살기 위한 행동이 또 다른 죽음을 맞이해야만 하는 지렁이의 이 상황(현실)이 나의 삶과 많이 닮아 있다고 느꼈다.

흙 속에서 꿈틀거리며 움직이는 모습을 상상해 보자.

흙 밖에서처럼 흙 속 환경 또한 만만치 않다. 흙 속은 지상보다 높은 지열로 인해 비가 올 때처럼 지렁이의 목숨을 위협한다.

어려운 환경 속에서도 꿈과 목표를 포기하지 않고 끊임없이 노력하기만 하면 되는 것인가? 흙 밖으로 나가면 살 수 있다. 는 목표로 어렵게 나왔지만 그 또한 목숨을 위협받는 모습을 보며 흙 속이 더 안전한 건 아니었을까? 고민하게 해주었고 그럼에도 살기위해, 숨쉬기위해 몸부림치고 꿈틀거리는 지렁이의 상황을 통하여 내가 잊고 있던 마음, 삶의 태도를 찾기 시작했다.

'나도 나를, 나의 삶을 포기하지 않는다면,'

이루고자 하는 꿈과 목표에 다다를 수 있겠구나.

지렁이는 자신의 삶에 충실하고 최선을 다하는 것이었을 뿐이었겠지만. 나는 이것이 자신을 사랑하는 태도라고 받아들여졌다. 꿈을 찾아 목표를 향해 꾸준히 나가기 위한 그 모든 시작은 '나를 사랑하는 것'이라는 것을 이야기 하고 싶어 글을 쓴다.

최근에 읽은, [무해한]인간관계를 위하여 라는 책에 이런 글귀가 있다.

"우린 모르는 게 아니라 잊고 있을 뿐이다."

나를 사랑하는 법을 모르는 것이 아니라, 잊고 있을 뿐이라는 이 글귀가 내 가슴깊이 닿아 한동안 따뜻하게 나를 안아주었다.

또 이런 생각도 했다. 세상은 이 놀라운 비밀을 감추기 위해서 그토록 우리를 괴롭힌 것은 아니었을까

나의 글이 당신에게도 닿아 따뜻함이 전달되어, 함께 따뜻한 세상을 만들어 가는 시작이 되길 바란다.

## Part 1.
## 지렁이를 소개합니다.

문제아도 모범생도 아니였다. 가정의 어려운 형편에 조금이나마 도움이 되고자 취업이 잘 된다는 실업계를 지원했고 신설되는 자동차 학과에 진학하여 하루빨리 부모님께 도움이 되고자 졸업과 취업을 바라며 지냈다.

어부였던 부모님은 최소 일주일, 최대 보름 이상의 시간을 바다에서 지내셔야 했기에, 남동생과 둘이서 등교도 식사도 그 외에 많은 것들을 부모님의 대리로 감당해야 했다.

동생이 중학교에 들어가면서 섬에서의 생활과 공부환경이 어렵다고 판단하셔서 어머니는 같은 지역에 있는 이모

집으로 보내주셨다. 그래봤자 배를 타고 10-15분이면 되었지만, 그렇게 나름의 유학 생활이 시작되었다.

이모와 이모부는 너무 친절하셨고, 자신의 많은 부분을 헌신해 주시어 우리 형제를 잘 보살펴 주셨다. 지금은 영면에 드셨지만 부모님은 군 복무 중 이등병이던 내가 탈영을 할까 봐 염려하셔서, 모든 장례절차가 마치고서야 말씀해 주셨다. 내가 이모부를 얼마나 존경하고 사랑했는지 친척들도 인정할 만큼 내게 이모부는 부모님의 부재에 너무 많은 부분을 채워주신 따뜻한 분이셨다.

그럼에도 청소년기에 이모 집이 부모님과 함께 하는 집만 했겠나. 부모님이 바다에서 돌아오시는 날에는 평일이든 주말이든 시험기간을 제외하고 (동생에게만 해당) 섬에 들어가서 어머니가 해주는 제육볶음을 상추쌈 해 먹었던 그때가 너무 행복했다.

지금도 가끔 해주시지만 어머니도 나도 그때의 맛이 아니라며 그때의 맛과 추억을 요즘 자주 회상해 보는 시간이 늘어간다.

나는 고등학교를 졸업하기까지 이모 집에서의 생활을

하면서, 고등학교 2학년 때 이모의 권유로 교회에 나가게 된다. 교회에서 느낀 게 있다. 교회 누나는 예뻤다. 정말이다. 그 누나를 보려고 토요일에도 나가고, 일요일에도 나가고 그렇게 학교, 이모 집만 다니던 나는, 주말에는 교회까지 추가하며 열심히 다녔다.

교회는 내게 정말 따뜻한 곳이었다. 일요일 11시에 많은 사람들이 모여 예배하는 그곳에서 나는 아무것도 몰랐지만 따뜻함과 위로를 느낄 수 있었다. 그리고 나는 이렇게 생각했다. '아! 교회는 이렇게 따뜻한 곳이구나.' 돌이켜보면 나는 그때 신의 존재를 인지하기 시작한 게 아니었나. 지금에서야 생각해본다. 내가 알고 배운 교회는 그런 곳이다. 따뜻한 곳. 지금의 교회들, 기독교인들이 욕먹고 있는 현실이 매우 안타깝지만 어쩌겠나. 그것 또한 뿌린 대로 거둔 것이거늘.

나는 스스로 단점으로 생각하는 부분이 있다. 내가 속한 곳에서 나를 불편해하는 이가 생긴다면, 이동한다. 는 태도이다.

나는 청소년, 청년들을 대상으로 해야 하는 특성 상 지금도 분명한 기준이 있다. 나는 부모와 자녀를 이어주는 매개체이다. 청소년, 청년에게 부모님과 식사하기, 하루에 10분 대화하기, 셀카찍기 등. 가족이 함께 할 수밖에 없는 미션들을 줌으로써 가정이 화목해야 함을 주장하고 그렇게 가르쳐왔다.

그렇기에 그들을 잘 이해하고 케어하기 위해서는 그들의 부모님과의 교재도 필수였다. 내가 만났던 많은 부모님들의 기본적인 태도는 맞벌이에 바쁘고 부모 자신의 지친 삶을 토로하셨고 아이들에게 집중하지 못한 미안한 마음을 이야기 하며 요즘에는 많은 부분 자녀들이 변화하고 있다고. 내 손을 붙잡고 눈물로 감사를 표한 부모님들도 꽤 있었었다. 식사 자리에 초대해주시고, 티타임을 요청하는 빈도가 월등히 많아져 정말 바빴다. 또한 자녀들의 프라이버시는 지키고, 공유할 수 있는 부분들을 이야기하면서 나의 생각과 방법을 공유하되 대화하며 자녀의 미래를 나누는 시간들을 통해서 자연스레 관계는 더 발전하게 되었다. 이건 당연한 것 아니겠는가. 부모님의 아린 부분을 그들이 주최자가 되어 해결되어 가는 부분들이 있는데. .

자랑처럼 들릴 수 있지만, 나는 이렇게 배웠으니 이것이 옳고, 당연하다고 생각한다. 그래서 이런 모습들이 시기와 질투의 대상이 될 줄은 전혀 생각도 못했다.

그렇게 나는 '공공의 적'이 되었다.

연합하여 대의를 이루어 가는 것이 아니라, 자신의 이익에 반하거나 자신보다 월등한 모습을 보이는 이들을 가만두지 않았다.

선임들과 친했던 부모님 세대들도 나와 더 친해 보이는 모습들을 못 견뎌했다. 그래서 나는 도망쳤다. 내가 속한 공동체에서 나를 불편해 하는 이가 있으면 떠나겠다. 나는 그렇게 시작했으니까.

지인들이 다 만류했다. "야, 더 성장할 수 있는데" , "야 네가 지는 거야." , "야 네가 뭘 잘못했는데" 등 나를 위로해 주는 말들이었을 수 있으나 나는 가는 곳마다 그렇게 했다. 내가 아니더라도 그곳은 분명히 아무 일 없었다는 듯이 정상화될 것이니 말이다. 문제가 생기면 대상자들 각자의 이야기를 듣고, 몇 차례 본인들에게 확인 후 자리를 마련해서 삼자대면하게 하고 화해의 자리를 주선하는데 적극적이던 나는, 왜 나 자신에 관해서는 그렇게 도망자처럼 지내왔는지 시간이 지난 지금은 속상하고 아쉽다.

다른 곳들에서의 경험도 너무 행복하고 유익했지만, 부천. 15개월 짧은 기간 있었지만 부천은 내게 다른 곳들보다 더 성장하고 성숙해 질 수 있는 경험들을 많이 할 수 있게 해 준 곳이었다. 부모님, 지인들, 나 스스로도 정말 아쉬운 곳이라고 이야기 할 만큼. 지금도 그들과의 경험은 나에게 큰 자산이다. 좋았든, 싫었든.

우리나라 속담에, '지렁이도 밟으면 꿈틀한다.'

성경, 구약성서 (이사야 41:14)에는 '지렁이 같은 너 야곱아' 라고 기록되어 있다. 매우 작고 하찮은 존재로 비유하고 있는 모습인데, 나는 거기에 반항하고 싶었나 보다. 왜 구속받아야 하는지, 정해진 틀 안에서만 말하고, 일해야 하는지 도무지 동의할 수 없었다. 그래서 어느 단체나 모임에 소속될 때마다 부당하다고 생각하는 모든 것들을 3-6개월은 동일하게 수행했으나 그 이후에 조금씩 변화시켰다. 매우 운이 좋은 케이스이지만 군대에서(상병이 되고서) 마저도.

대학시절 선후배, 동기를 막론하고 그들이 모르는 연락처가 있으면 나를 찾아왔다. 때로는 교수님들도. 내가 속한 공동체에서는 동일하게 경험하는 부분이다.

또한 대학시절 때 별명이 있었다. '자매 사역' 음. . 처음에는 매우 불쾌한 별명이었지만 시간이 흘러 생각해 보니 마땅히 그렇게 보였을 법 하다. 재수를 하고 입학했던 나는 꽤 많은 이들과 시간을 함께했다. 동성의 경우에는 장소에 구애받지 않고 독대하는 시간을 가졌다면, 이성의 경우 독대하는 모습이 보이지 않는 곳? 에서의 상황이라면 누군가에게 오해를 사겠다는 생각에 학교 광장에서 자주 만남을 가졌던 것이 실수였을까. 나름 현명하게 대처했다고 생각했지만 누군가는 그런 내 모습 (상대가 자주 바뀌니까)에 '재는 뭐야!? 여자 꼬시러 학교 왔어!?' 라며 시기의 대상이 되었다. 내게는 한 인격으로서 존중해야 할 대상이었지만 누군가에게는 사랑의 대상이었을지도. . 하하

## 1.2 지렁이의 시작

정말 아무것도 없었다.

아무것도 할 수 있는 게 없어서 자존감은 지하 250층으로 내려가 있고 더 내려가라고 세상은 나를 가만히 두지 않으려 했다.

### EP.1

2018년 9월, 꽤 쌀쌀한 날씨가 연속되던 날이었다.

내가 담당해서 진행 중이던 행사를 마무리하고 돌아가려는 차를 예열하고 배웅인사를 받으며 돌아가는 길이였다.

진동으로 되어있던 나의 핸드폰은 내가 차에 타서 일정을 정리하며 나누는 피드백 시간에 확인해 보니 어머니의 이름으로 찍혀있는 수십 통의 부재중 전화. .

매일 통화하는 어머니와 나는 서로 바쁜듯하면 다음에 전화하고는 하는데, 오늘은 달랐다. 불길한 예감에 전화를 걸었고 아주 담담한 목소리에 어머니와 통화하게 되었다.

엄마 : 응, 아들. 바빴니?

나 : (어제의 통화로 행사가 있었음을 알고 계신 상태였다.)

네, 엄마 행사 마무리 짓고 이제 올라가요.

엄마 : 말씀드리고 빨리 내려와야겠어.

나 : (미간에 두 줄 주름이 생기며 귀찮다는 듯이) 왜요!?

엄마 : 응. 놀라지 말고 잘 들어. 아빠가 쓰러지셨네. 헬기로 지금 병원으로 가고 있는 길이야. 그러니 말씀드리고 빨리 내려와.

나 : 예!? 뭐라고요!? 아빠 가요!? 왜요!?

나는 어떻게 전화를 끊었는지도 기억나지 않을 만큼 횡설수설했다. 행사 마무리를 부탁하고 부모님이 계시는 내

고향 여수로 내려갔다.

나도 동생도 타지에 있었던 관계로 지금의 아내가 되어 준 여자 친구에게 급히 연락해 어머니와 함께 있어 주기를 부탁했고 동생과 나는 함께 이동하기로 하고 넉넉히 3시간 40분에 거리를 얼마나 걸렸는지 생각도 안 날 만큼 순천(뇌경색 전문병원)에 도착했다.

앞서 이야기 했듯 어부이셨던 부모님은 그 날도 평소처럼 조업(바다일)중이셨다. 2-3주 전부터 몸살과 감기 기운으로 힘들어 하셨지만 술만 드시며 이겨내 보려 했던 아버지. 가장으로서의 책임감은 강하나 자기 건강 돌보기를 등한시했던 한국 가장의 전형적인 무지한 아버지는 그렇게 뇌경색으로 쓰러지셨다.

아버지는 이미 중환자실에 계셨고, 담당의는 말씀해 주셨다.

"본인의 의지에 달려있습니다."

'청천벽력'

지금의 나를 위한 사자성어인 듯. 이런 날벼락이 있을까.

아무도 없는 광야에 내버려 진 듯이 그날에 중환자실 앞공기는 서늘한 오한이 들고, 병원 특유의 냄새와 호흡보조 기구들의 차가운 기계소리는 여전히 생생하게 기억된다.

그렇게, 2018년 가을-겨울은 내게 유난히도 추웠다.

EP.2

자본주의 사회에서 전환점을 맞는 사건이 있었다. 2019년 결혼을 하고 아내와 재밌게 평범했지만 지인들과 행복한 나날들을 보냈다. 그러나 상사와의 갈등은 아내에게 큰 스트레스로 다가와 대학병원 2군데를 다녀와도 병명도 없이(화병이지, 뭐) 검사만 하고 돌아왔다. 나는 아내가 검사받으러 들어가고 남아 대기실에서 절망과 좌절감으로 고통스러웠다. 검사비용이 없었다. 통장 잔고를, 지갑을 아무리 확인해 봐도 5만원도 안 되는 잔고는 내 가슴을 미어지게 했다. 오후 10시가 넘은 늦은 시간이었지만, 동생에게 전화해서 빌려 어찌어찌 해결은 했다.

나는 아내에게 결혼하기를 약속하며 이렇게 말했다.

“내가 당신에게 경제적인 넉넉함으로 행복하게 해 줄 수는 없을지라도. 당신이 행복하다고 고백할 수 있도록 내가 더 노력할게."

나는 아내에게 부를 약속하지도 않았듯이 부를 기대하며 목회자가 되겠다고 삶을 살았던 적은 없다. 하지만 가난은 말이 달랐다. 가난 때문에 중요한 것들을 지킬 수 없게 되는 것이 내가 믿는 신이 바라는 삶인가 라는 생각을 하기 시작했다.

나는 그때부터 생각했다.

'잘못되었구나.', '내가 지금 잘못하고 있구나.'라는 생각을 시작으로 이야기는 시작된다.

# Part 2.
# 지렁이가 밟혔다

## 2.1 지렁이의 꿈은 무엇이었을까!?

나는 고등학교 2학년 때 출석하기 시작했던 교회에서 '소명 - Calling'을 확인하게 된다. 사실 나는 내면의 소리에 귀 기울여 본 적이 없다. 앞서 말했듯이 서둘러 취업을 해서 부모님의 어려움에 조금이나마 도움이 되고자 했던 목표뿐이었으니. 그러나 나는 가치 있는 삶을 살고 싶었다. 그래서 고민하고 상담하며 내렸던 결정은 '목회자'가 되자.였다. 내가 느꼈던 이 따뜻함. 이것을 나눌 수 있는 목회자가 되고 싶었다. 더불어 2023년 지금도 동일하게 느끼는 소외된 청소년, 청년들과 함께하는 목회자가 되고 싶었고, 그런 목회자가 필요하다고 생각하였다. 그러나 부모님의 기대와 생각은 다르셨고, 나의 이런 꿈을 반대하시는 부모님 때문에 재수를 시작하게 된다. 말이 재수지. 교회에서 먹고, 자고, 공부하고 뭐. . . 그런 시간들을 보냈다.

## 2.2 지렁이가 포기할 수밖에 없었던 이유

나는 지인들에게 인정받았을 정도로 정말 열심히 맡은 바 에 최선을 다했고 감사하게도 담당하던 부서의 성장이 눈에 띄게 보였다. 그러나 교회도 세상과 다를 바 없었다. 시기와 질투는 어디에나 있었다.

대학시절 “재, 자매 사역하러 왔어!?”라는 시기와 질투를 샀던 것처럼, 친하게 지내던 선생님들, 청년, 학생들의 수가 많아질수록 동등한 위치, 나를 통솔하는 위치에 있었던 분들의 시기와 질투는 생각보다 견디기 힘들었다. 앞서 말했듯이 어떤 소속에서든 나를 불편해하면 나는 도망자처럼 나갔다. 이럴 거면 내가 사회활동 하는 것이 낫겠다. 는 생각을 하기 시작했다.

그리고 혼자 있을 때와 아내가 있을 때는 너무나 달랐다. 신경 쓰고 감당, 감내해야 할 것들이 2배도 부족하다. 몇 배는 많아졌고 거기에서 오는 정신적 스트레스는 생각보다 나를 피폐하게 했다. 80kg을 유지했던 몸무게가 123kg 까지 살크업을 했다.

아내의 건강 악화와 나 자신의 번 아웃.

피할 수도, 감당할 수도 없었다.

나는 내 아내를, 나를 지키기 위해.

내가 원했던 꿈. 따뜻한 교회가 되자. 라는 꿈을 등지기로 마음먹었다.

아니, 철저히 나의 꿈을 짓밟았다.

## 2.3 지렁이는 정말 포기한 걸까!?

- 이전에 함께 했던 청소년, 청년들이 내가 있는 곳. 여수에 찾아왔다. 대학생들은 종강을 맞아서, 직장인들은 귀한 여름휴가나 연차를 써서 꽤 많이도 찾아왔다. 표면적으로

는 여행을 이유삼아 먼 곳까지 와서 식사하며 티. 타임을 갖는다. 그렇게 서로 그간의 세월을 이야기 하다보면 "시간이 벌써 이렇게 되었어!? 야~ 가자가자. 우리 진상이야." 이러기를 여러 번. 그렇게 서로 웃다가 즐겁게 끝났으면 좋았겠건만. 한 명도 빠짐없이. 나에게 이런 말들을 뱉어놓고 간다. "그때가 좋았어요. 덕분에 교회가 무엇인지, 교회가 왜 필요한지, 생각하고 알게 되었어요. 그런데 지금은 많이 힘드네요. 다른 곳을 알아보는 중이에요." 한두 명이면 그러려니, 나를 응원하는 말이겠거니 하며 넘어갈 법한데, 다른 지역, 다른 연령대에 친구들이 동일한 이야기를 쏟아내어 놓고 자신들의 삶으로 돌아갔다. 그들을 배웅하고 나는 생각하기 시작했다. 내가 잘못하지는 않았구나. 라며 내 자존감도 챙겨보고 내가 어떻게 해왔길래 저들에게 따뜻한 마음들을 나눌 수 있었을까. 저들의 삶에서 신앙이 왜 유익하지 못할까. 신앙이 행복함이 아니라 왜 짐이고, 멍에가 되었을까. 이런 생각들로 깊어진다.

또 한 번은, 목회자가 되겠다는 나의 길에 고민이 된다고 내가 처음으로 사역이라는 것을 시작했던 교회에서 지금도 나의 1호라고, 내새끼라고 이야기하는 친구와 티타임을 갖으며 나눈 대화가 내게 여전히 따뜻하게 남아있다. 지금도 연락하는 사이라서 1호라고 지칭한다.

나 : 나 안 할 거야.

1호 : 그래요. 하지 마요. 다른거 해봐요. 더 잘할 것 같은데?!

나 : 아!! 진짜 안 할 거야. 나 목회자 안 될 거라니깐. 알잖아!! 내가 얼마나 원했는지, 내가 얼마나 진심이었는지. 너도 알잖아.

1호 : 알죠. 진심이었고 최선을 다했고 잘했다는 것도. 그래도 하지 마요.

나 : 야.E.C 칭찬이여, 뭐여~ 하라는 거여, 말라는 거여!!

1호 : 에~이 생각해봐요. 지금 아프잖아요. 언니도 아프다면서요. 아프고 죽으면 끝나요. 하고 싶은것도 해야 하는 것도 못하게 되잖아요. 안 그래요?! 그렇담, 그렇게 까지 해야되는 거예요?! 에~~이 그만해요. 하지마하지마!! 그만해요이~

나 : 아니 그래도. . 나 열심히 했잖아?!! 나 잘했다면서!? 조금 더 해보면 안 될까!?

1호 : 에~이 무책임한 남편이네. 나중에 애들은, 누가 키워요. 기저귀값, 분유값, 또 아프면 어떻게 해요!? 부모는 굶을 수 있다쳐요. 애기들은 그게 아직 잘 안되잖아요. 그

걸 보고 기도만 하고 있을 거예요!? 무책임한 남편에, 무책임한 아빠! 에~이 하지마요 하지마!! 하지 말라고!!!

나 : 아!! 몰라!! 조금만 더 해볼게. 아이가 태어나기 전까지는 시간이 있다는 거 아녀. 그때까지도 다르지 않으면 그때 관둬도 되잖아!!

1호 : 할 거면서, 왜 물어봤어요. 빨리가요!! 가!! 언니 기다려요.

1호는 알았다. 내가 포기하겠다고 말하러 온 것이 아니라, 내 이야기를 들어줄 대상이 필요했다는 것을. 그날의 대화 이후 1호에게서 메시지가 왔다. "아프면 아프다고, 힘들면 힘들다고. 이제는 말해도 되잖아요. 옆에 언니도 계시고, 함께하는 제자들도 이제는 많잖아요. 없나!? 에~이 그래. 괴팍한 성격 때문에 없겠다. 그래요 그럼 저라도 카페가 줄게요! 저 이제 돈 잘 벌어요~ 밥 먹으러 가요!!"

아무도 없고 차가운 공기만 가득했던 사무실에서 1호의 메시지를 확인하고 나는 울어버렸다. 누구보다 나를 공감해주고 응원해주는 1호가 나의 지나온 세월들이 헛되지 않았음을 따뜻하게 안아주었고 다시 일어설 수 있도록 해주었다.

관계 때문에 스스로 짓밟아버린 나의 꿈.

"따뜻한 교회가 되자." "따뜻한 사람이 되자."

관계를 통해 꿈을 정비하고 다시 일어서기로 마음먹었다.

# Part 3.
# 지렁이는 지금 벌크업 중

나는 코로나가 유행하기 전인 2020년 초부터 2023년 6월까지 내 삶을 가꾸지 않았던 시기를 제외하고는 독서를 소홀히 하지 않았다. 잘하지 못하고, 어려웠지만 1주일에 1권은 꾸준히! 1권씩 추가해서 독서하도록 그렇게 시간을 보내왔고 결혼하기 전부터 아내에게도 이렇게 말하고 부탁했다. 정말 적은 생활비이겠지만 그 중에 10%는 내가 독서하고 자기 계발하는 데 사용할 수 있도록 허락해 줄 수 있을까!? 최저시급도 안 되는 생활비에 정말 벼룩에 간을 빼가는 심정이었지만 그래도 아내는 불만, 불평 없이 동의해주었고 그런 사정을 아셨던 장인어른께서는 독서하기를 게을리 하지 않게 해 주시려고 도서상품권 10만원씩을 매달 준비해 주셨다.

그리고 매일 산책하는 시간들을 즐겼다. 작은 친구(아이)를 만나기 전에는 야간근무를 마치고서 집으로 가지 않고 새벽녘 오묘한 느낌의 바람을 맞으며 산책하는 것이 꽤 즐거웠다. 괜히 쎈치해지는 듯, 우월해지는 듯한 느낌을 즐겼을지도. . 하하 사진도 찍어보고 글도 써보면서 그렇게 시간을 보냈고 꼭 새벽녘이 아니더라도 산책하는 시간들을 늘려갔고 지금은 매일 산책과 독서가 나의 삶의 당연한 것이 되었다.

나는 정말 돈이 없었다. 돈이 없어서 무엇을 할 수 있을까!? 고민하며

시작했던 것이 산책과 독서였다. 책장에 꽂혀있던 책들을 꺼내어 다시 읽었고, 핸드폰과 이어폰 챙겨서 집 앞에 해안도로 산책길을 걸었다. 그렇게 시작했다.

오늘, 지금 할 수 있는 것을 했다. 그렇게 매일 200일 째다.

나는 갇혀있었다. 종교라는 우물에. 그렇게 세상의 빛이

요, 소금이라고 몇 백번을 읽고 말하면 뭐하나. 그렇게 살아내지 못하면 말짱 꽝인 것을.

그래서 나는 부지런히 지역의 커뮤니티(독서, 산책)에 함께 하려 한다. 종교가 아닌 다른 주제, 동일한 관심사로 모이는 이들과의 대화는 너무 즐겁다. 내가 이렇게 좋아하는 것들이 많구나. 느낄 수 있을 만큼. 좋은 아이템, 장소, 팁들이 공유되는 그 시간에는 정말 행복하다.

나는 지방러이다. 갑자기 무슨 소리냐고!? 도시와 지방의 차이를 인정하지 않았다. 그렇게 이야기하는 사람들의 코를 납작하게 해주고 싶어서, 더 열심히 더 치열하게 살았다. 그런데 이제는 인정한다.

옛말에 이런 말이 있다.

'말은 나면 제주도로 보내고 사람은 나면 서울로 보내라!'

다르더라. 철저히 경험한 바로 이야기 하는 것이다. 나는 직접 서울을 경험한 것은 아니지만, 기회가 되는대로 서울에 있는 친구에게 올라가서 많이 보고 많이 들으려 한다.

또한 부천에 있었을 때는 이틀에 한 번씩 퇴근하고 서울을 갔다.  물론. . 풋살하느라 정신이, 체력이 없긴 했지만 친구와 많은 것들을 경험하고자 애썼고 혼자서라도 서울을 경험해 보려 했다. 그때의 경험들을 사진과 글로 기록하지 못한 것이 너무 안타깝다. 누가 알았겠나. 그때의 경험을 내가 책에 담아보려 했을지. 아니 내가 지금 책을 쓰게 될지.

내가 뜬금없이 서울을 이야기 하는 것은 분명하다. 새로운 것을 경험하라. 경제적인 부분으로 제한이 될 수 있음을 공감한다. 하지만 새로운 경험을 마냥 돈으로만 할 수 있는 것은 아니고, 돈 없다고 못하는 것도 아니다.

나는 이제 잘하(되)고 싶지만 여전히 막막한 현실 앞에 좌절하고 있을 그들과 함께 하는 커뮤니티를 만들어보고자 한다. 많은 전자책을 읽고, 강의를 들었으며 현재도 크루가 되어 열심히 배우고 있다.

먼저는 독서와 산책모임을 함께 할 이들을 모집해 보려 한다. 한 명도 모이지 않아도 괜찮다. 나는 그래도 산책하고 독서할 것이고, 더 배워서 또 시작해 보면 되는 것을.

나는 이 책에서 최대한 종교의 색을 빼려했으나, 어쩔

수 없는 상황설명을 위해 드러낼 수밖에 없었다. 다음 책에서는 조금 더 종교의 색이 강한 책으로 집필에 집중해 보려 한다.

또한 여전히 종교지도자로서 기회를 주시는 선배/동기들의 배려로 회중 앞에 설 수 있었고 현재도 그 기회들을 정기적으로 갖고 있는 중이며 앞으로는 나 스스로가 적극적으로 기회들을 열어가고 있는 중이다.

다시 목회자가 되려는 꿈을 현실화 시켜보려 한다. 처음 다짐했던 따뜻한 교회, 따뜻한 사람이 되려는 이들과 함께 하려 한다. 여전히 욕먹고 있는 기독교의 현실이 안타깝지만 그럼에도 너무 멋있고 따뜻하게 모이고 영향력 있는 교회와 사람들이 있기에 용기를 얻고 나도 그런 교회 그런 사람들과 함께 해보려 한다. 이 꿈은 이미 가족들과 나누었고 내년에는 적극적으로 이중직 목회자로서의 모습을 갖춰보려 한다.

군인시절 만들었던 음원도 문의해 놓은 상태이고, 앞으로의 삶에 어려움이 없을 수 없지만 하나씩 이뤄져 가는 삶의 연속일거라 내 삶을 기대하고 가꾸며 사랑하는 내가 되어 보려 한다.

‘세이노의 가르침’이라는 책에서 이런 글귀가 있다.

“노력한 만큼의 대가는 반드시 주어진다.

문제는 그 시기가 당신이 생각하는 시점보다

더 미래에 있다는 점이다.”

지치지 않고, 꾸준히 나 자신을 믿고

나부터 나를 사랑한다면 되리라는 믿음으로!

# Part 4.

# 지렁이의 동료가 되어줄래?

사실 나는 굉장히 소심했고 자책하는 경향이 강했으며 지나치게 이타적인 삶의 태도로 자신의 삶을 관리하지 않아 쓰러지셨던 아버지의 모습과 매우 닮아있다. 나도 매우 아팠고 어려운 상황에서도 안 좋은 영향을 전달하고 싶지 않아 더 열심히 일에 매달렸고, 밝게 웃으려 애썼으며 더욱 친절하려 애썼다. (기본적으로 친절함은 부모님의 삶의 모습을 통해 잘 배워져 있는 듯하다.)

그런데 나는 앞서 이야기 했던 경제적인 어려움과 이상과의 괴리감을 통해 '잘못되었구나.' , '내가 잘못하고 있구나.'를 고민하기 시작하면서부터, 그 분(신)과 나 자신에게 집중하고 성경을 읽고, 공부하기 시작했다. 이런 나의 모습을 보고 아내는 이렇게 말했다.

"이렇게 열심히 했으면 시험에 합격도 했겠구만!! 으이그~

그래! 다 때가 있으니깐. 잘하고 있어!! 열심히 해봐!!"

크으으 남자는 여자의 인정에 목숨 걸게 되는 것 아니겠는가!?

정말 열심히 몸부림 쳐봤고, 지금도 여전히 그러고 있다.

그렇게 시간이 쌓여 좋은 분들을 만났게 되었고 결론을 내렸다. 나의 삶을 책임지는 것이 그 분이 내게 맡겨주신 사명의 시작이구나. 그 분이 나를 사랑하듯이 나도 나를 사랑해야 하는구나. 지나친 이타적인 삶을 강요받았던 신앙 교육과 환경은 철저하게 '나'를 지워냈다. 우리'만' 강조하였다. ((오해가 없기를 바란다. 나는 우리를 교육하는 것 자체가 잘못 되었다고 말하고 싶은 것이 아니라. '나는 없고 우리만'을 강조하는 교육의 잘못을 말하고 싶은 것이다.)) 공동체 유익만을 위하여 개인의 자유와 삶은 무조건적인 헌신으로 하나 되어야 한다는 것은. 내가 믿는 그분께서 원하시는 삶의 목적이 아님을 분명히 할 수 있도록 해 주었다. 나를 사랑하고 나의 삶을 책임지는 것이 옳은, 올바른 삶의 태도이자. 그분이 원하시는 사명의 시작임을 알기 시작한 것이다. 이렇게 살았고 가르쳤던 그들을 찾아가 이렇게 사과 했다.

"내가 너희에게 그 분을 너무 왜곡되게 가르쳤어."라고

내 과거를 인정하고, 개선하며 현재를 살아가려 했더니 길이 열렸다.

'지렁이도 밟으면 꿈틀거린다.'
라는 말이 있지 않은가.

세상은 나를 지하 250층에서 머무르지 않고 더 깊은 곳으로 끌어내리려 밟았고, 내 스스로가 밟았지만 꿈틀거렸고 그런 나를, 먼저 꿈틀거리고 성공자의 삶에 있는 이들이 발견해주고 손 내밀어 주기 시작했다. 내가 자기계발을 시작하며 알게 된 이들은 정말 너무나도 한결같이 이렇게 말한다. '감사하게도, 운이좋아서, 먼저 시작한 것 뿐이예요.' 내가 그들과 함께 할 수 있는 것, 그들이 나라는 존재를 알

아주고 있음이 너무 신기하고 감사하다.

당신에게 다 잊어버려도 이것 하나만 남으면 좋겠다.

'당신을 사랑하시라. 그것이 시작이다.'

나는 지나치게 스스로를 사랑하지 않았고, 그렇게 배우지 못했다. 그러나 당신을 적극적으로 사랑하는 것이 당신의 삶을 성공자로 이끄는 시작이요. 전부이다. 그런 삶의 태도는 당신이 바라보고 있는 그들의 삶에 닿을 것이고 결국엔 그 자리로 이끌어 줄 것임을 확신한다.

"지금 당신의 삶을 적극적으로 사랑하라."

그리고 당신의 삶에서 함께 해 줄 수 있는 이들을 찾았으면 좋겠다.

# 에필로그

“다 끝났어.”라고 느끼고 있는 지금도 세상은 여전히 따뜻한 곳이라고 말하고 싶다. 그리고 함께 따뜻한 세상을 만들고자 하는 사람들이 많이 있다는 것도.

“기버”라는 말을 들어본 적이 있을 것이다. 나는 가진 자들이나 나눌 수 있는 것이라고 생각했다. 하지만 기버의 삶을 살고 있는 그들은 처음부터 넉넉하지 않았다고 한다. 오히려 작은 것이라도 나누기 위해 고민하며 자신이 가진 것을 탐구하고 발전시키는 매일이 쌓여서 그렇게 넉넉함을 얻게 되었고 함께하는 이들이 많아져 더 큰 따뜻함을 나눌 수 있는 자리가 만들어졌다고 말한다.

지금부터 당신도 기버가 되어보자. '혼자가 아닌, 함께.' 당신의 작은 따뜻함이 모이고 커져서 세상을 더 따뜻하게 만들어 나갈 수 있을 것이다.

힘든 시간을 이겨내고, 미래를 향해 따뜻함을 나누며 걷게 될 당신을 응원하고 기다리겠다.

# 오늘도 참 나스러웠다

나를 사랑한 그 순간이 내 인생을 바꿨다

발 행 2023년 12월 11 일
지은이 다행, 장한샘, 강필중, 마재형아
기획·편집 작가의 탄생 1기
펴낸곳 리더인컴퍼니
가 격 15,000원
출판등록 2023-000016호
책 출간 문의 leedain.leader.in@gmail.com
ISBN 979-11-985287-7-3